## РУССКАЯ ЛИТЕРАТУРА В ОРИГИНАЛЕ И ПЕРЕВОДЕ

# М. ЛЕРМОНТОВ

## Стихотворения и поэмы

# M. LERMONTOV

## Poems

Russian Reader
with Parallel
English
Translations
and Explanatory
Notes
in English

Russky Yazyk Publishers
Moscow
1988

# М. ЛЕРМОНТОВ

## СТИХОТВОРЕНИЯ И ПОЭМЫ

Книга для чтения
с параллельными текстами
на русском и английском языках
и комментарием на английском языке

Москва
«Русский язык»
1988

ББК 81. 2Р—93
Л49

Составитель и автор комментария М. Л. Калугина
Переводчики: И. Железнова, А. Пиман, С. Сыроваткин

Рецензенты: кандидат филологических наук Т. С. Дорофеева,
кандидат педагогических наук П. И. Ломакин

Л $\dfrac{4306020100—209}{015(01)—88}$ 148—88

ISBN 5—200—00147—1

# FOREWORD

## MIKHAIL LERMONTOV *

In Russian poetry there are two names which are usually spoken one after the other: Pushkin and Lermontov. They follow one upon the other like "beginning" and "development", "seed-time" and "harvest". Our great-grandfathers, however, when they coupled and compared these names, likened them to the sun and the moon. In these old-fashioned symbols there is a remarkable degree of true insight. The light of the moon is not only reflected but transformed sunlight. One cannot see Lermontov without Pushkin, he is his heir and successor, but Lermontov's works is precious in itself, original and unrepeatable; it marks a new step in the artistic development of Russia.

Let us try to throw some light on the common factor, the connecting link between these two great names. Only fifteen years divide Pushkin, born in 1799, from Lermontov, born in 1814. Between brothers who grow up in the same family a greater age gap is possible. Here, however, fifteen years stood not so much for a difference in age as in epoch and indicated a difference not in the fate of individuals but of generations.

Pushkin's formative years as a poet, a man and a cultural phenomenon were years in which Russia awakened to sudden consciousness of her national greatness. Resistance to the Napoleonic invasion, the successful withstanding and the ensuing ejection of French troops from Russia united all Russians in the inspiring drive to defend their country. For it was not for nothing that the war of 1812 was called the Patriotic War. The victorious outcome, when the Russian army, the burning of Moscow fresh in its memory, went into winter quarters in Paris, revived a number of long cherished hopes. The growing self-awareness of the people, tempered by the clash with danger from without, began to demand decisive changes in the internal organisation of Russian society. Russia was a serf state ruled by an autocrat. In rebellious minds, the emancipation of the serfs was linked with the overthrow of the autocracy. Both these aims filled the brief, fine word "freedom" with a very real, practical content, and the word was on the lips of the progressive people of the day. Pushkin became the poet of freedom and his art became imbued with and developed the dreams and hopes of its boldest advocates. These hopes found political expression in the unsuccess-

---

* © Издательство «Прогресс», 1976

ful rising of December 14, 1825. Those who took part in the rising were called after the date: the Decembrists. The new tsar, Nicholas I, who succeeded to the throne after the sudden death of his brother Alexander, used cannons to quell the rebellious regiments, hanged five leaders of the rebellion and had the rest sent to prison or to Siberian mines. The main reason for the failure of the Decembrists was their inability to establish contact with the people. They had acted in their name, but not with their cooperation. The disinterested impulse of these young noblemen turned out to be not only admirable and courageous, but tragic because of this isolation.

The freedom-loving movement was broader than the actual plot, and Pushkin, who was not officially accounted one of the plotters, was in fact the singer and inspirer of the movement as a whole. His poetry was imbued not only with the thought but with the Decembrists' perception of life. And this perception was lucid and joyous, just as the dreams of these youthful knights of freedom were dreams of light and joy. It was as sparkling and heady as the wine in the glasses of the gallant plotters as they drank success to their righteous cause. It was youthful and active, like their desires, and the splendid sound of the words "freedom", "glory" and "love" rang through them all.

Such was Pushkin's state of mind at the time when Lermontov, still a young boy, was learning the great poet's verse by heart. Lermontov's philosophy of life, however, was formed under the influence of other planets, and his attitude toward life was coloured with very different feelings and impressions than was Pushkin's. The reason for this was not only his own sharply-defined personality, but the equally sharp change of times. "The first years which followed immediately after 1825 were terrible," wrote Lermontov's contemporary, the revolutionary democrat Herzen. "It took not less than ten years for a man to recover from the sad awareness that he was, after all, an enslaved and persecuted being. The prevailing mood was one of profound despair and general despondency. Higher society, with contemptible and unworthy zeal, hastened to suppress all human feelings, all humane thoughts. There was scarcely one aristocratic family that did not have some relative among the exiled but there were hardly any who dared to wear mourning or to show their sorrow in any other way. When they sought a valid alternative to this sad vision of servility, when they allowed themselves to think, delving deeper in the attempt to find some sign or hope, then they were brought up face to face with terrible, heart-chilling thoughts."

For Lermontov, the tragedy of public life became confounded with his own, private tragedy. The brief story of his life—he did not live a full 27 years—is packed with misfortunes enough to embitter a much longer span. Mikhail Yuryevich Lermontov was born in Moscow on the night of the 2/3 October, 1814, of a marriage between an heiress of rich estates and a poor army officer. A family drama was initiated over his very cradle, the results of which for the child were to be long-lasting and unpleasant. His mother died when he was only two years old, and the future poet was educated by a despotic grandmother. A strong personality herself, the grandmother adored the child but detested his father and would allow him no part in the upbringing of his own son. To this the father submitted as not to do so would have been to deprive his son of his grandmother's inheritance. The child became the plaything of grown-up passions and his earliest days were darkened by family disputes. Sorrowful echoes of this drama sound in Lermontov's poetry, and in his early play *People and Passions* he puts into his hero's mouth a speech which was a bitter delineation of his own position between the people he loved: "Here I am like some spoil rent in twain between two conquerors, both of whom wish to possess it whole."

From childhood he was oppressed by unforgettable impressions of serfdom. Thousands of aristocrats' children, brought up in analogous conditions, took such scenes for granted and accepted them as part of the order of things, once and for all established. And in this mind they grew from childhood to youth and to maturity—only to become serf-owners in their turn, like their fathers. But Lermontov was branded with the mark of a different fate and where his contemporaries saw happiness he perceived misery. Intuitively comprehended, the contradictions between wealth and poverty, between despotic power on the one hand and complete lack of rights on the other wounded his heart even in childhood. He grew up in a "land of slaves, and a land of masters."

In the meantime he was brought up to be a little ruling prince and his every wish was deferred to, except his desire to see something of his rejected father. But even this illusory freedom to indulge his every whim, attained at the expense of the serfdom of hundreds of people, the source of his despotic grandmother's wealth, soon came to an end. Beyond the walls of his home a cruel, ruthless world awaited the adolescent, a world ready to curb and crush every wish and inclination that was in any way opposed to its own set of rules. Very considerable strength of mind and inner firmness must have been needed not to bow before the inevitable but to stand out victorious in the struggle against circumstance. "It was necessary," once again, in the words of Herzen, "to know how to hate out of love, to despise out of feelings of humanity, to be possessed of unlimited pride in order to hold one's head high when one's wrists and ankles were fettered in irons."

Lermontov did hold his head high in this hostile world—until that world killed him by placing the deadly weapon in the hands of his assassin. But this was not to happen for another fifteen years or so, and in the meantime the adolescent grew to be a youth, the youth to a mature man. The pattern of his life in those years was simple enough. At the age of fourteen he entered a boarding school for the sons of noble families attached to Moscow University where two years later he became a student. In 1832, Lermontov left the university and transferred to an officer's school, choosing to enter military service as was usual for young men of his milieu. The School of Ensigns of the Guard and Cavalry Cadets (such was its official designation) was situated in Petersburg, and it was in his years there that Lermontov began to move amongst the high society of the imperial capital, that high society which he so abhorred and which, in return, was to declare war on him, war to the death.

In 1834, at the age of twenty, Lermontov graduated from the military school with the lowest officer's rank of cornet and was seconded to a Hussar Regiment of the Imperial Guards.

Such was the exterior, unexpressive aspect of his life at that time, which tells us virtually nothing of his inner life, seething with passions, thoughts, doubts and anxieties. During this time, the young man loved and suffered, lost and found, felt and thought. He poured out all the variety of his thoughts and feelings in verse. For it is from these years that Lermontov's dedicated life in poetry really stems.

Lermontov's first attempts at poetry date to 1828 and, by 1832, he was already the author of two hundred lyric poems, ten long poems and three plays. This was a genuine boiling over of creative vigour and in its youthful seething and bubbling we can already catch hints of the future power of his mature poetry. We can indeed, for among dozens of imperfect, prentice verses to come from Lermontov's hands in these years we every now and again encounter a real masterpiece such as *The Sail* or *The Mermaid*.

From a very early age, Lermontov thought of himself as a poet and could not imagine his future otherwise than in poetry. He even imbued his stern and eminently practical grandmother with this thought—such was the power of his conviction. His student's and later his officer-cadet's and officer's uniforms were to him merely the outward form of his connection with the official order; his inner ties with society were formed in spite of university and regiment—through poetry. His first attempts at verse were distinguished by an immediate desire to tread the hard path. In those years when thought seldom reached out beyond the limits of the visible world, the youth set himself historical and philosophical questions, trying boldly for solution. He received a brilliant education for his time, having been taught at home by tutors and later at the university and at a military school, but he differed from many of his contemporaries in that this learning did not remain a dead letter for him but was quickly absorbed and went to nourish his poetry. Sensitivity is the starting point of every talent, but Lermontov was master of his sensitivity, able to select impressions and endowed by nature with the gift of distinguishing the important from the secondary, the permanent from the fortuitous. By the time he was eighteen years old he already had a vast and serious experience of poetic work.

The officer's school and service in the Hussars did not estrange the young poet from his vocation. These years gave him a rich store of observation on which to draw, and much food for thought on the mores of society. His creative horizons broadened and, without abandoning poetry, he now turned also to prose and drama: stories such as *Vadim* and *Princess Ligovskaya* and the dramatic masterpiece *Masquerade* were written at this time.

There was, however, one moment in Lermontov's brief life the importance of which it is impossible to overestimate. We do not know how his way through life would have been laid had it not been for the terrible pistol shot which echoed through all Russia and still brings a sharp stab of pain to every Russian heart. In the year 1837, Russia's greatest poet, Alexander Pushkin, was killed in a duel. Pushkin's death was not merely the tragedy of an artist who perished in an unequal struggle against those forces in court society which would give him no peace, it was not only the tragedy of a literature suddenly deprived of its leader; it was the tragedy of a nation, of a whole people. With Pushkin's death, it seemed, the last hopes of those who loved freedom died too. The deadly shot which laid low the poet recalled the volleys of the tsarist troops which had proved mortal to liberty in the suppression of the Decembrist rising. With Pushkin's death autocracy triumphed over freedom, serfdom over the people, reaction over progress, darkness over light. But this triumph was brief.

The bright torch which fell from the hand of the great poet of freedom was snatched up at once by another, little known poet. Shattered by Pushkin's death, Lermontov wrote a poem on the occasion, a poem which rang out like an answering shot not aimed at the murderer alone, but at those who had condoned or directed his action. The poem provoked an enthusiastic reaction amongst the enlightened society of the time. It was copied and recopied, passed from hand to hand, from mouth to mouth. The name of Lermontov which up till this time had been known only in the narrow circle of the poet's friends, became famous and men repeated it with hope and gratitude in all corners of Russia. This reaction was profoundly disturbing to Nicholas I; the flame which had just been trampled out by the jack-boots of autocracy flared up again with burning intensity. Lermontov, for composing "impermissible" verse, was transferred from his Hussar Regiment in St. Petersburg to active service in the Caucasus. This was the poet's first exile.

From the day when his name thus became linked with the memory of Pushkin, Lermontov's poetic star rose quickly. He had roughly four and a half years to live. In this desperately short time he managed to write his greatest works.

Lermontov himself, however, had been aware of his own inborn powers before Pushkin's death. All that had been needed was some great moral shock to call them into life. Now this shock had come.

With it came a new feeling. Lermontov had not known Pushkin personally, but the very awareness that the great poet was living, thinking and working in the same society had freed him from many doubts and anxieties. Men had looked to Pushkin for an answer to the most painful questions of life, his verses had been the guiding lights of society.... Now Pushkin was no more. Lermontov felt that, whether he would or no, a great burden had been laid on his shoulders. From this moment he had no right to be idle, no right to keep silent. Even had this not been so, the verses came thick and fast, it was as though the poet's heart had been flung wide open. And if, until 1837, Lermontov had ranked as first-class poet of considerable talent, after Pushkin's death he showed himself to be a great poet, a poet of genius.

His exile to the Caucasus where he came to know the life of the ordinary soldiers and of the mountain folk brought him sharply up against reality. Having escaped the moribund atmosphere of high society he perceived how little the life of the people had in common with the conceptions of that life then current in the drawing-rooms of St. Petersburg. He absorbed the poetry of this life and felt himself at one with it. His work gained in humanity and this has become, in our eyes, an inalienable part of his genius.

Lermontov now looked upon himself as the representative of a whole generation doomed to live in a period of stagnation, and this constrained him to seek some more general significance in his contemporaries' bitter and tragic fate. From the lofty sentiments of romanticism which he was to delineate with such irony in the poem *And I, Too, Loved in Days Gone By,* from the outward tempests of nature and the inmost tempests of the passions, Lermontov now passed on to quite different creative principles which had their foundation in a realistic and sober assessment of the historical process. It was according to these new principles that he selected the poems to be included in the first and only collection of his verse published during his lifetime which came out in 1840. In that same year his *A Hero of Our Time*—one of the great masterpieces of Russian prose—was published, and this immediately established Lermontov on the highest level both as an artist and as an observant chronicler of the ways and manners of contemporary society.

In those years the poet's life was a stormy one and rich in events and impressions. Thanks to the endeavours of his influential grandmother, he was permitted to return to Petersburg, but not long after he was provoked to call out the son of the French Ambassador and this provided an excuse for a second arrest and exile. An excuse and no more, for the duel was a deliberate provocation and came to nothing. For Nicholas I, however, Lermontov was a dangerous man better kept away from the capital. This time he was transferred to an infantry regiment almost permanently engaged on active service in the Caucasus. Lermontov immediately gained a reputation for reckless courage in the eyes of his fellow officers, but, in the Tsar's eyes, he remained a rebellious free-thinker who was in no case to be encouraged by promotion, decorations or leave.

Impressions of military service were sharply and powerfully reflected in Lermontov's poetry. In his poem *Valerik,* after giving an unforgettable picture of a battle in which had taken part, the poet writes:

> "And with a secret, heartfelt sadness
> I thought: 'How pitiable is man,
> What does he lack!... Clear shines the sky,
> Beneath the sky there's room to spare for
> All men. And yet unceasingly
> He wages fruitless war—why? Wherefore?'"

The great, eternal question Lermontov puts here contains more than a condemnation of war—it is a condemnation of all enmity among men. If we understand it in its widest implications, and this is the only way to understand it, we shall see how far-reaching is the poet's thought. Tolstoy's *War and Peace* stemmed from these words and it as not fortuitous that when he spoke of this question of Lermontov's he claimed that the whole 19th century had failed to solve it. The power of this "wherefore?" passed into Russian literature as a whole, into Russian thought. And if we speak of the Lermontov heritage alongside the Pushkin heritage in Russian literature, it lies precisely in this great "wherefore?"

*Valerik* is a remarkable poem, but it is but one in a whole cycle of magnificent works written by Lermontov over these years. He completed and rewrote *Mtsyri* and *The Demon,* both begun almost in boyhood, finished *The Lay of the Merchant Kalashnikov...*, and wrote a quantity of exquisite lyric verse which has passed into the classic tradition of Russian literature. Motifs of denunciation ring through his verse with renewed force. The immortal *Meditation* and *How Frequently Amidst the Many-Coloured Crowd...* re-echoed through Russia like resounding slaps in the face dealt by the poet to the society and governmental system of Nicholas's Russia. On a brief visit to Petersburg and Moscow, Lermontov managed to arrange for the publication of his latest works, which assured him the first place in Russian poetry. But he was again posted back to the Caucasus, and now he was caught between two clashing waves of emotion. His hopes of retiring from military service, of devoting himself to literature, writing new works and editing and publishing a literary magazine were brought up sharp against the sober sadness of a man condemned to die. For his death really was desired and schemed for by those who occupied positions of authority in autocratic Russia. He was constantly being dispatched to the most dangerous parts of the Caucasian front, but against the bullets of the mountain dwellers he seemed to bear a charmed life; then an evil intrigue was set afoot, employing as its tool an unimaginative man of no spiritual stature, whose unenviable destiny it was to murder the new hope of Russian poetry in a duel. Like Pushkin's, Lermontov's death in a private quarrel was in fact the work of a regime totally ruthless in its methods of silencing its critics. On a tragic day in July, 1841, Lermontov fell to the stony ground with a bullet in his heart. He was not quite twenty-seven.

The remarkably short life-span and the exceptional scope of achievement—this is the first thing to strike one when one thinks of Lermontov. Much, indeed, had been done, fantastically much! Poetry, prose, drama—he had made his mark in them all—and what a mark! Not only does the Russian reader put Lermontov next to or on a par with Pushkin, but there are many who hold him in a special, almost personal affection. One often hears: "I love Pushkin, but I feel Lermontov is somehow closer."

The poignant charm of Lermontov's poetry is hard to convey in the language of precise definition and formula. It is the young who respond most immediately to the rebellious romanticism of his poetry. The lines from *The Sail*:

> "The blue waves dance, they dance and tremble,
> The sun's bright rays caress the seas.
> And yet for storm it begs, the rebel,
> As if in storm lurked calm and peace!..." *

might well serve as the device either of a lone rebel or of a whole generation of revolutionaries or, equally, they can simply stir up the young heart's thirst for the unknown, for those voyages of discovery in search for a meaning and a goal that are so compelling an attraction for all the young. The meaning behind *The Sail* is vast and manifold and every new generation of young people takes from it what most answers to their own aspirations.

The narrative poem *Mtsyri* is equally rich in meaning. The young novice who runs away from the monastery on the eve of taking his final vows and lives three days of perfect freedom, speaks in his deathbed confession of his quiet life within the enclosing walls of the monastery:

> "A captive's life has my life been
> And brief.... Two such lives, calm if mean,
> Would I exchange, if but I could,
> For one, of risk, disquietude
> And peril full.... As I recall,
> One passion held me e'er in thrall;
> It worm-like gnawed at me at first,
> Then into flames devouring burst
> And all of me consumed.... From prayer
> And stifling cell to regions fair
> Borne by my dreams was I, of strife
> A wondrous world, where soaring cliff
> Is hid by cloud, and men are free
> As eagles... ." *

---

* Translated by Irina Zheleznova.— Ed.

Contemporaries saw *Mtsyri* as a protest against the order of things under Nicholas I, when free will was confined as it were by iron bands. Undoubtedly, this was indeed the social and moral background of the poem. Yet those circumstances which gave rise to the poem in the first place have long since faded into the past together with Tsar Nicholas and his regime, and in spite of this it continues to touch and stir the heart. The rebellion of feeling and reason against any form of limited, prejudiced existence in the name of the great purposes of a world "of strife" and a life "of disquietude and peril"—this is what later generations of young people have perceived in this poem.

The rebellious romantic wave in Lermontov's poetry blends with the angry wave of denunciation on whose crest were borne such verses as *On the Death of the Poet* and *Meditation*. Lermontov heaped bitter accusations not only upon autocracy but upon his whole generation, to whom it was given to understand, but not to perform. A premature fruit starved of life-giving sap—that, in his opinion, what the people of this interlude of inaction most resembled. Lermontov dissects the vices of his age with the ruthlessness of a surgeon. Poems such as this, mercilessly stripping off the dressings from the sores and wounds of society, this cry raised by one man in the dumb night of circumstance, this cry of despair and anger—still, many years later, has the power to strike an answering chord in us. The tragic voice of a generation sounds in the poem *Such Emptiness, Heartache*. It is, as it were, a factual illustration of the moods suggested in *Meditation*. Before us a man arises from amongst the "dour crowd", a man who lived in a time of reaction. The terrible spiritual isolation from his fellow men is the direct result of those circumstances in which he was placed. If, in *Meditation*, we are shown the general process of the sickness of a generation, here we see the same sickness at work in the individual. It amazes us by its sheer hopelessness, but at the same time it is an excellent gauge of how far the disease had progressed at that time.

Lermontov's constructive thought is more evident in his work in which he drew upon Russian history and folklore. In *The Lay of Tsar Ivan Vassilyevich, His Young Oprichnik and the Stouthearted Merchant Kalashnikov*, the poet raises the question of the dignity of man before the face of history, showing the moral dignity of the individual to be equal in significance to the power of the state absolute. In *Borodino*, he depicts the heroism of the people in the Patriotic War of 1812, contrasting the heroes of that time with the people of his own days. "Unlike you those men were true heroes!" the old man who tells the story of the battle keeps repeating. In *My Native Land* Lermontov contrasts his own patriotism with the deadening official idea of the autocratic state. The mainspring of this patriotism is his awareness of the people as the moving force of history, of the life of the people as the basic content of history.

All-pervading in Lermontov's poetry is the lyrical note which is sounded, now sadly, now joyfully, now in anger, now with tenderness, in all his works. This it is that unites the love of an outcast spirit for an earthly woman in *The Demon* with the sorrowful self-accusation of *Meditation*, the sacred purity of *The Prayer* with the righteous wrath of *On the Death of the Poet*. This particular note sounds in his most masterly love lyrics and in his most profound analytic works such as *The Argument*. Lermontov is by rights accounted one of the world's greatest lyric poets. His work is remarkable for the direct way in which heart speaks to heart; we believe that his poetry will also speak directly to the heart of readers beyond the borders of our country and that they too will hear in it much that echoes and corresponds to their own moods and meditations, thoughts and hopes.

Sergei Narovchatov

# БАЛЛАДА

В избу́шке * по́зднею поро́ю *
Славя́нка ю́ная сиди́т.
Вдали́ багро́вой полосо́ю
На не́бе за́рево гори́т...
И, лю́льку * де́тскую кача́я,
Поёт славя́нка молода́я...

«Не пла́чь, не пла́чь! иль се́рдцем чу́ешь,*
Дитя́, ты бли́зкую беду́!..
О, по́лно,* ра́но ты тоску́ешь:
Я от тебя́ не отойду́.
Скоре́е му́жа я утра́чу.*
Дитя́, не пла́чь! и я запла́чу!

Оте́ц твой стал за че́сть и бо́га
В ряду́ бойцо́в про́тив тата́р,*
Крова́вый след ему́ доро́га,
Его́ була́т * блести́т, как жар.
Взгляни́, там за́рево красне́ет:
То би́тва * се́мя сме́рти се́ет.

Как ра́да я, что ты не в си́лах *
Поня́ть опа́сности свое́й,
Не пла́чут де́ти на моги́лах;
Им чужд и стыд и страх цепе́й; *
Их жре́бий за́висти досто́ин...» *
Вдруг шум — и в две́ри вхо́дит во́ин.

Брада́ * в крови́, изби́ты ла́ты.*
«Сверши́лось! — восклица́ет он,—
Сверши́лось! торжеству́й, прокля́тый!..
Наш ми́лый край порабощён,*
Тата́р мечи́ * не удержа́ли —
Орда́ * взяла́, и на́ши па́ли».*

# BALLAD

She sits so late, the Slavic maiden...
The rough log walls shut out the night
But, in the distance, red doom laden,
The sky glows with a crimson light...
She rocks the cradle all night long
And as she rocks she croons this song:

"Hush a bye, hush: or is it coming
Disaster frights your heart, my dear?
Cheer up, my babe, and leave your glooming;
Mother's not going—anywhere!
I'd sooner loose my man than you,
My child, don't cry! or I shall too!

"Your father fights for God and glory
Against the Tatars, in the ranks...
Brave soldier—rough his road and gory
But bright the steel in his right hand!
Look here, that red glow in the sky
Means battle—and that man must die.

"How glad I am your little head
Is still too small to grasp your danger,
For infants weep not for the dead;
Nor know the shame and helpless anger
Of chains. They're happier than we older...."
The door swings wide—a wounded soldier

Stands on the threshold, bloody-bearded,
His armour battered, crying "The end!
The end of all things! Gloat, accursed!...
Our dear-loved land her neck must bend
Beneath your yoke! Our fellows' swords
Could not withstand the Tatar hordes!"

И он упал — и умирает
Кровавой смертию * бойца.
Жена ребёнка поднимает
Над бледной головой отца:
«Смотри, как умирают люди,
И мстить учись у женской груди!..»


## АНГЕЛ

По небу полуночи ангел летел,
   И тихую песню он пел;
И месяц,* и звёзды, и тучи толпой
   Внимали * той песне святой.

Он пел о блаженстве безгрешных духов *
   Под кущами * райских садов;
О боге великом он пел, и хвала
   Его непритворна была.

Он душу младую * в объятиях нёс
   Для мира печали и слёз;
И звук его песни в душе молодой
   Остался — без слов, но живой.

И долго на свете томилась * она,
   Желанием чудным полна;
И звуков небес заменить не могли
   Ей скучные песни земли.


* * *

Нет, я не Байрон, я другой,
Ещё неведомый * избранник,
Как он, гонимый миром странник,
Но только с русскою душой.

Я раньше начал, кончу ране,*
Мой ум немного совершит;
В душе моей, как в океане,
Надежд разбитых груз лежит.

With which he fell—in bloody agony
To die a soldier's death... .
His wife raised the small child on high
To witness his last breath:
"Look son, and learn how men go to their rest
And think on vengeance—from your mother's
breast!"

## THE ANGEL

One midnight an angel flew over the sky,
    With a song on his lips he did fly,
And a bevy of clouds, the bright moon and the stars
    To his song listened, rapt, from afar.

Of the sinless he sang that in paradise dwell,
    Of the bliss that is theirs he did tell,
Of the glory of God sang he too, and sincere,
    True and simple his praises they were.

In his arms a babe's soul held he, bearing it to
    This dark world where, alas, joys are few,
And the sound of his song, its celestial strains
    With that young soul did wordless remain.

Long it languished on earth, full of dreams and
desires,
    With the sounds born of Heaven afire,
And the dull songs of earth, though the air they did
fill,
    These rare, heavenly sounds could not still.


\*   \*   \*

Not Byron—of a different kind
Chosen of fate, yet still unknown,
Outcast as he and driven from home
Yet Russian I—in heart and mind.

Earlier begun and earlier done
But slight will my achievement be...
And wrecked hopes lie like sunken suns
In my soul's depths as in the sea.

Кто может, океан угрюмый,
Твои изведать тайны? Кто
Толпе мой расскажет думы?
Я — или бог — или никто!

## ПАРУС

Белеет парус одинокой
В тумане моря голубом!..*
Что ищет он в стране далёкой?
Что кинул он в краю родном?..

Играют волны — ветер свищет,
И мачта гнётся и скрыпит...
Увы,— он счастия * не ищет
И не от счастия бежит!

Под ним струя светлей лазури,*
Над ним луч солнца золотой...
А он, мятежный, просит бури,
Как будто в бурях есть покой!

## ТРОСТНИК

Сидел рыбак весёлый
    На берегу реки,
И перед ним по ветру
    Качались тростники.
Сухой тростник он срезал
    И скважины * проткнул,
Один конец зажал он,
    В другой конец подул.

И, будто оживлённый,
    Тростник заговорил —
То голос человека
    И голос ветра был.
И пел тростник печально:
«Оставь, оставь меня!
Рыбак, рыбак прекрасный,
    Терзаешь ты меня!

И я была девицей,
    Красавицей была,

Who, gloomy ocean depths has told
Your tale of mysteries? And who—if anyone
My thoughts can to the mob unfold?
Why—I myself, or God, or none.

## THE SAIL

A lone white sail shows for an instant
Where gleams the sea, an azure streak.
What left it in its homeland distant?
In alien parts what does it seek?

The billows play, the mast bends, creaking,
The wind, impatient, moans and sighs....
It is not joy that it is seeking,
Nor is't from happiness it flies.

The blue waves dance, they dance and tremble,
The sun's bright rays caress the seas.
And yet for storm it begs, the rebel,
As if in storm lurked calm and peace!...

## THE REED

A fisherman sat humming
 Beside a stream one day
And watched the wind of morning
 The reeds and grasses sway.
He cut a reed, and, making
 A hole in it or two,
To one end held a finger
 And in the other blew.

The reed to life was wakened,
 It spoke up with a sigh.
Was't voice of wind or maiden,
 Its gentle voice and shy?
"O fisherman," it begged him,
 "Do not torment me so.
O fisherman, I pray you,
 Hear out my tale of woe.

"A fair and lovely maiden
 But motherless I was.

У ма́чехи в темни́це
  Я не́когда цвела́,
И мно́го слёз горю́чих
  Неви́нно я лила́;
И ра́ннюю моги́лу
  Безбо́жно я звала́.*

И был сыно́к люби́мец
  У ма́чехи мое́й,
Обма́нывал * краса́виц,
  Пуга́л честны́х * люде́й.
И раз * пошли́ под ве́чер
  Мы на́ берег * круто́й
Смотре́ть на си́ни * во́лны,
  На за́пад золото́й.*

Мое́й любви́ проси́л он,—
  Люби́ть я не могла́,
И де́ньги мне дари́л он,—
  Я де́нег не брала́;
Несча́стную сгуби́л он,
  Уда́рив в гру́дь ножо́м,
И здесь мой труп зары́л он
  На берегу́ круто́м;

И над мое́й моги́лой
  Взошёл * тростни́к большо́й,
И в нём живу́т печа́ли
  Души́ мое́й младо́й.*
Рыба́к, рыба́к прекра́сный,
  Оста́вь же свой тростни́к.
Ты мне помо́чь не в си́лах,*
  А пла́кать не привы́к».


# РУСАЛКА

## 1

Руса́лка * плыла́ по реке́ голубо́й,
  Озаря́ема по́лной луно́й;
И стара́лась она́ доплесну́ть до луны́
  Серебри́стую пе́ну волны́.

I bloomed, but bloomed unwanted,
    By no one loved, alas!
My father he remarried
    And took a witch to wife.
I called on death to claim me
    So wretched was my life.

"The witch she had a dearly
    Beloved son, had she,
A worthless rogue and scapegrace
    Who fooled young maids was he.
I went with him one evening
    To walk beside the stream
And watch its waters mirror
    The sun's last dying gleam.

"My love in vain he begged for—
    Him and his pleas I spurned.
Gold coins to me he offered—
    In ire from him I turned.
Then with his knife he struck me,
    He struck me in the breast.
A grave he dug and put me
    There on the bank to rest.

"And o'er my grave soon after
    There grew a slender reed,
And in it live the sorrows
    That made my young heart bleed.
O fisherman, pray leave me,
    Do not disturb my sleep.
Alack, you cannot help me
    And have not learnt to weep!..."

## THE MERMAID

### 1

A young mermaid once swam and plashed in a stream
    That was lit by a full moon's bright beam,
And she struck at the waves, for she wanted to send
    The white foam to the moon overhead.

## 2

И шумя и крутясь, колебала река
    Отражённые в ней облака;
И пела русалка — и звук её слов
    Долетал до крутых берегов.

## 3

И пела русалка: «На дне у меня
    Играет мерцание * дня;
Там рыбок златые * гуляют стада;
    Там хрустальные есть города;

## 4

И там на подушке из ярких песков
    Под тенью густых тростников
Спит витязь *, добыча ревнивой волны,
    Спит витязь чужой стороны.*

## 5

Расчёсывать кольца шелковых * кудрей
    Мы любим во мраке ночей,
И в чело * и в уста * мы в полуденный час *
    Целовали красавца не раз.

## 6

Но к страстным лобзаньям,* не знаю зачём,*
    Остаётся он хладен * и нем; *
Он спит — и, склонившись на перси * ко мне,
    Он не дышит, не шепчет во сне!..»

## 7

Так пела русалка над синей рекой,
    Полна непонятной тоской;
И, шумно катясь, колебала река
    Отражённые в ней облака.

And the stream leapt and danced and rushed noisily on.
   And the clouds in its depths whirled and spun.
And the mermaid she sang, and her song echoed o'er
   The blue water and high, rocky shore.

### 3

Sang the mermaid: "Deep down, hid from everyone's
                          sight,
   There are flashes of colour and light,
Crystal cities that give off a magical glow,
   Golden fishes that flit to and fro.

### 4

"On bright pillows of sand, in the stream's cool
                        embrace,
   With the sea grasses shading his face,
Sleeps a knight, of the jealous blue waters the prey,
   Sleeps a knight from a land faraway.

### 5

"And my sisters and I, when we tire of our play,
   By the side of the knight like to stay,
And we comb his silk locks with a gold comb, and his
   Ashen brow and pale lips gently kiss.

### 6

"But the knight never stirs and, I cannot tell why,
   To our kisses he does not reply.
Cold and still lies he there, by a deep slumber bound,
   And no murmur escapes him, no sound."

### 7

So the mermaid she sang, filled with sadness and pain,
   With a sorrow she could not explain,
And the stream leapt and danced and rushed noisily on,
   And the clouds in its depths whirled and spun.

# СМЕРТЬ ПОЭТА

Погиб Поэт! *— невольник чести *—
Пал,* оклеветанный молвой,*
С свинцом в груди и жаждой мести,*
Поникнув гордой головой!..
Не вынесла душа Поэта
Позора мелочных обид,
Восстал он против мнений света *
Один, как прежде... и убит!
Убит!.. к чему теперь рыданья,
Пустых похвал ненужный хор
И жалкий лепет оправданья?
Судьбы свершился приговор!
Не вы ль сперва так злобно гнали
Его свободный, смелый дар
И для потехи * раздували
Чуть затаившийся * пожар?
Что ж? веселитесь... он мучений
Последних вынести не мог:
Угас, как светоч, дивный гений,
Увял торжественный венок.

Его убийца хладнокровно
Навёл удар...* спасенья нет:
Пустое сердце * бьётся ровно,
В руке не дрогнул пистолет.
И что за диво?.. издалёка,*
Подобный сотням беглецов,*
На ловлю счастья и чинов
Заброшен к нам по воле рока;
Смеясь, он дерзко презирал
Земли чужой язык и нравы;
Не мог щадить он нашей славы;
Не мог понять в сей миг кровавый,
На что он руку поднимал!..

    И он убит — и взят могилой,
Как тот певец,* неведомый, но милый,
Добыча ревности глухой,
Воспетый им с такою чудной силой,
Сражённый, как и он, безжалостной рукой.

Зачем от мирных нег * и дружбы простодушной
Вступил он в этот свет завистливый и душный
Для сердца вольного и пламенных страстей?

# ON THE DEATH OF THE POET

The poet is no more! He's fallen
A slave to honour—
Lead in his chest, for vengeance calling,
The proud head bowed at last—he died!...
He would not brook the rankling shame
The petty calumnies, the stain
They sought to put upon his name....
Alone he stood, and now is slain!
Is slain... What use in lamentation,
Or empty choruses of praise,
Belated words of exculpation?
Say rather—Fate cut short his days!
Yet—are you blameless, you who banned
His free, brave talent out of spite,
And smouldering flames to white heat fanned
That should have been extinguished quite?
Come, be content, then—such refinement
Of pain was more than he could bear.
The lamp of genius is no longer shining,
The laurel wreath is fading now and sear.

Yet the assassin knew no hesitation
In cooly taking aim... not one
Beat missed that heart; no saving revelation
Made tremble that fell hand which held the gun....
Hard is it though indeed to credit
How came it that this common émigré,
This fortune hunter, this upstart careerist,
This poor blind tool of destiny,
Should, in his insolence, so spurn our land,
Her language and her customs fair
And spare no thought her chiefest pride to spare
Nor pause to wonder *what* it was—he dare,
To think 'gainst *what* he raised his hand!...

So he is slain—our singer—dead and gone
Like that less-known but well-beloved one
Of whom he told in wondrous poetry,
Who, like him by a ruthless hand undone,
A victim fell to senseless jealousy.

Why did he leave his peaceable pursuits and
friendships
For this false world of harsh constraint and envy
To free and ardent heart so straight a pen?

Зачём он рýку дал клеветникáм ничтóжным,
Зачём повéрил он словáм и лáскам лóжным,
   Он, с ю́ных лет постúгнувший людéй?..


И прéжний сняв венóк — онú венóк тернóвый,*
Увúтый лáврами, надéли на негó: *
   Но úглы тáйные сурóво
   Язвúли слáвное челó;*
Отрáвлены егó послéдние мгновéнья,
Ковáрным шёпотом насмéшливых невéжд,
   И у́мер он — с напрáсной жáждой мщéнья,
С досáдой тáйною обмáнутых надéжд.
   Замóлкли звýки чýдных пéсен,
   Не раздавáться им опя́ть:
   Приют * певцá угрю́м и тéсен,
   И на устáх егó печáть.

————————

   А вы, надмéнные потóмки
Извéстной пóдлостью прослáвленных отцóв,
Пятóю рáбскою попрáвшие * облóмки
Игрóю счáстия обúженных родóв!
Вы, жáдною толпóй стоя́щие у трóна,
Свобóды, Гéния и Слáвы палачú!
   Таúтесь * вы под сéнию * закóна,
   Пред вáми суд и прáвда — всё молчú!..
Но есть и бóжий суд, напéрсники * разврáта!
   Есть грóзный суд: он ждёт;*
   Он не достýпен звóну злáта,
   И мы́сли и делá он знáет наперёд.*
Тогдá напрáсно вы прибéгнете * к злослóвью:
   Онó вам не помóжет вновь,
   И вы не смóете всей вáшей чёрной крóвью
   Поэ́та прáведную кровь!


УЗНИК *

   Отворúте * мне темнúцу,*
   Дáйте мне сия́нье дня,
   Черноглáзую девúцу,
   Черногрúвого коня́.
   Я красáвицу младýю *
   Прéжде слáдко поцелýю,
   На коня́ потóм вскочý,
   В степь, как вéтер, улечý.

Why did he give his hand to futile tattlers?
Why did he credence lend to liers, flatterers,
  Who from his youth had been a judge of men?...

They've robbed him of his crown and set a crown of
                                              thorns
All wound about with laurel on him now
  The hidden spikes have deeply torn
  The poet's glorious brow;
And even his last moments were envenomed
By gossips ill-disposed and vulgar whispering
And so he died—filled with vain thirst for vengeance
And plagued by broken hopes fast festering....
  The splendid songs will sound no more,
  To silence must the great voice yield
  In that small room without a door....
  And—ah!—those lips are sealed.

------

  But as for you, you arrogant descendants
Of fathers famed for their base infamies
Who, with a slavish heel, have spurned the remnants
Of nobler but less favoured families!
Who throng the throne, alert for gain—and gory
As executioners who cloak their vile intent
  In robes of justice—so to slaughter Glory,
  Freedom and Genius, seeming innocent!
But there's God's judgement, which fears not to wait;
  A dreadful Judgement that's not bought nor sold.
It knows your inmost thoughts, ye panders reprobate,
It does not even hear the clink of gold.
Before this seat your slanders will not sway
  That Judge both just and good...
Nor all your black blood serve to wash away
  The poet's righteous blood.

## THE CAPTIVE

  Break my chains and ope my dungeon,
  Let me see the light of day;
  Call you nigh a dark-eyed maiden
  And a black-maned steed, I pray.
  First I'll kiss the young maid sweetly,
  Then upon the steed's back fleetly
  Spring, and with a shout and cry,
  'Cross the green steppe wind-like fly.

Но окно́ тюрьмы́ высо́ко,
Дверь тяжёлая с замко́м;
Черноо́кая * далёко,
В пы́шном те́реме * своём;
До́брый конь * в зелёном по́ле
Без узды́, оди́н, по во́ле *
Ска́чет, ве́сел и игри́в,
Хвост по ве́тру распусти́в.

Одино́к я — нет отра́ды: *
Сте́ны го́лые круго́м,
Ту́скло све́тит луч лампа́ды *
Умира́ющим огнём;
То́лько слы́шно: за дверя́ми
Зву́чно-ме́рными шага́ми
Хо́дит в тишине́ ночно́й
Безотве́тный * часово́й.

\*    \*    \*

Когда́ волну́ется желте́ющая ни́ва,
И све́жий лес шуми́т при зву́ке ветерка́,
И пря́чется в саду́ мали́новая сли́ва
Под те́нью сла́достной зелёного листка́;

Когда́, росо́й обры́зганный души́стой,
Румя́ным ве́чером иль у́тра в час злато́й,
Из-под куста́ мне ла́ндыш серебри́стый
Приве́тливо кива́ет голово́й;

Когда́ студёный * ключ * игра́ет по овра́гу
И, погружа́я мысль в како́й-то сму́тный сон,
Лепе́чет мне таи́нственную са́гу *
Про ми́рный край, отку́да мчи́тся он,—

Тогда́ смиря́ется * души́ мое́й трево́га,
Тогда́ расхо́дятся * морщи́ны на челе́ *,—
И сча́стье я могу́ пости́гнуть * на земле́,
И в небеса́х я ви́жу бо́га.

Dark my prison is and sombre,
And the door is locked and barred.
Sad the maid sits in her chamber,
From the one who loves her far;
And my good steed 'thout a bridle
In the green field wanders idle
Or, up dale and then down hill,
Head held high, trots at his will.

All alone am I, and trying
Is my lot: on bare stone walls
From a smoke-stained lamp a dying,
Cheerless ray, uncertain, falls;
While behind the door the faceless
Sentry walks, his measured paces,
That no warmth or comfort bring,
In the silence echoing.

\*     \*     \*

When comes a gentle breeze and sways the yellowing
                                                  meadow,
And, startled by its sigh, the green woods stir and hum;
When, in a garden nook, a young leaf's dulcet shadow
From summer's greedy ray conceals a blushing plum;

When, sprayed by perfumed dewdrops, of a chilly,
Rose-tinted, dreamy night or after dawn, at me
From 'neath an emerald bush the tender lily
Its tiny, silver head nods cheerily;

When plays an icy spring and o'er the gully dances,
And I can feel my thought to hazy dreams succumb
Born of its soft-voiced babbling, when romances
It spins of peaceful lands whence it has come—

Then does my lined brow clear; the lingering sadness
That fills my troubled heart leaves it at long last free;
Above me, in the skies, God do I see;
On earth, know rich, rewarding gladness.

# ДУМА

Печа́льно я гляжу́ на на́ше поколе́нье!
Его́ гряду́щее *— иль пу́сто, иль темно́,
Меж тем, под бре́менем * позна́нья и сомне́нья,
   В безде́йствии соста́рится оно́.
   Бога́ты мы, едва́ из колыбе́ли,
Оши́бками отцо́в * и по́здним их умо́м,*
И жизнь уж нас томи́т,* как ро́вный путь без це́ли,
     Как пир на пра́зднике чужо́м.

   К добру́ и злу посты́дно равноду́шны,
В нача́ле по́прища * мы вя́нем без борьбы́;
Перед опа́сностью позо́рно малоду́шны
И перед вла́стию *— презре́нные рабы́.
   Так то́щий плод, до вре́мени * созре́лый,
Ни вку́са на́шего не ра́дуя, ни глаз,
Виси́т ме́жду цвето́в, пришле́ц * осироте́лый,*
И час их красоты́ — его́ паде́нья час!


Мы иссуши́ли ум нау́кою беспло́дной,
Тая́ * зави́стливо от бли́жних и друзе́й
Наде́жды лу́чшие и го́лос благоро́дный
   Неве́рием осме́янных страсте́й.
   Едва́ каса́лись мы до ча́ши наслажде́нья,
   Но ю́ных сил мы тем * не сберегли́;
Из ка́ждой ра́дости, боя́ся * пресыще́нья,*
   Мы лу́чший сок наве́ки извлекли́.


Мечты́ поэ́зии, созда́ния иску́сства
Восто́ргом сла́достным наш ум не шевеля́т;
Мы жа́дно бережём в груди́ оста́ток чу́вства —
Зары́тый ску́постью и бесполе́зный клад.
И ненави́дим мы, и лю́бим мы случа́йно,
Ниче́м не же́ртвуя ни зло́бе, ни любви́,
И ца́рствует в душе́ како́й-то хо́лод та́йный,
    Когда́ ого́нь кипи́т в крови́.
И пре́дков ску́чны нам роско́шные заба́вы,
Их добросо́вестный, ребя́ческий * разврат;
И к гро́бу мы спеши́м без сча́стья и без сла́вы,
    Глядя́ насме́шливо наза́д.


Толпо́й угрю́мою и ско́ро позабы́той
Над ми́ром мы пройдём без шу́ма и следа́,

# MEDITATION

With deep distress I contemplate our generation
Its future stretches on to darkness, emptiness.
Knowing too much, lost in equivocation,
    It grows towards old age in idleness.
    For we are rich, from infancy or almost,
In all our fathers' faults, their hindsight and their wit,
And life, like a smooth road without a goal, has
                                 dulled us
    Like guests who at an alien banquet sit.
    To good and evil shamefully indiff'rent
We wilt yet in the slips, before the lances' shock...
In danger's face—we offer no resistance,
Cowed by authority, a servile flock.
    So some poor fruit, too early come to ripeness,
Void of delight—for palate as for eye,
Might dangle waif-like midst Spring blossoms'
                             brightness,
Aware—even as they bloom—that it must die!

Our brain is all dried up by arid learning,
And, jealously, from our best friends we hide
Our dearest hopes and even the noble burning
    Of passions which our sceptic minds deride.
Our lips have scarcely touched the cup of pleasure
    Yet by this caution we've not saved our strength;
Fearing excess, we have drawn off a measure
    From every joy—and left all flat at length.

Great works of art and high, poetic dreaming
Wake in our minds no sweet, responsive thrill
And, avidly we hoard the dregs of feeling,
A miser's wasted talent—buried still.
And casual all alike our loves and hatreds,
We make no sacrifice to love or ire.
The coldness in our souls holds nothing sacred,
    Yet in our blood seethes fire.
Bored by our ancestors' delights uproarious,
Their conscientious, childish revelry,
We, hastening joyless on to graves inglorious,
    Look back in irony...

A sullen multitude not long remembered
We'll flit earth's face and leave no mark,

Не бросивши векам * ни мысли плодовитой,
　　Ни гением начатого труда.
И прах наш, с строгостью судьи и гражданина,
Потомок оскорбит презрительным стихом,
Насмешкой горькою обманутого сына
　　Над промотавшимся отцом.*


## ПОЭТ

Отделкой золотой блистает мой кинжал; *
　　Клинок надёжный, без порока;
Булат * его хранит таинственный закал —
　　Наследье бранного * востока.

Наезднику в горах служил он много лет,
　　Не зная платы за услугу;
Не по одной груди провёл он страшный след
　　И не одну прорвал кольчугу.*

Забавы он делил послушнее раба,
　　Звенел в ответ речам обидным.
В те дни была б ему богатая резьба
　　Нарядом чуждым и постыдным.

Он взят за Тереком * отважным казаком
　　На хладном * трупе господина,
И долго он лежал заброшенный * потом
　　В походной лавке армянина.

Теперь родных ножон,* избитых на войне,
　　Лишён героя спутник бедный,
Игрушкой золотой он блещет на стене —
　　Увы, бесславный и безвредный!

Никто привычною, заботливой рукой
　　Его не чистит, не ласкает,
И надписи его, молясь перед зарёй,
　　Никто с усердьем не читает...

В наш век изнеженный не так ли ты, поэт,
　　Своё утратил назначенье,
На злато * променяв ту власть, которой свет
　　Внимал в немом благоговенье?

No seed of fruitful thought have we engendered,
    No work of genius, no living spark
To light the ages for our heirs and citizens to come....
Who will dismiss us with a scornful epitaph
As, seeing his heritage despoiled, a son
    Writes off his bankrupt father—with a laugh.


# THE POET

My dagger gleams with tracery of gold,
    The blade is trusty, flawless;
It's steel is tempered by some craft of old,—
    Some eastern secret lawless.

For many years a mountain tribesman's slave,
    His every wish fulfilling,
To many an armed breast a fearful wound it gave
    And claimed no wage for killing.

Faithful companion of its master's mirth
    At insults clinking baneful,
In those far days this rich, enchaséd sheath
    Had irksome seemed and shameful.

Beyond the Terek a bold Cossack took
    It from its master's body.
Then in a pedlar's pack it lay forsook
    Amongst his treasures shoddy.

Lost now that scabbard, battle-scarred and bent
    Which cradled it victorious;
Upon my wall it gleams, a golden ornament,
Alas—now harmless and inglorious!

No one to clean it now, no practised fingers drawn
    Caressingly along the edges,
No lips repeat the inscribed prayers each dawn,
    The ancient zealous pledges. ...

In our tame age, ah poet, think how you
    Have lost significance...
Exchanged for gold that power which hitherto
    Commanded reverence!

Бывало, ме́рный* звук твои́х могу́чих слов
  Воспламеня́л бойца́ для би́твы,
Он ну́жен был толпе́, как чаша́ для пиро́в,
  Как фимиа́м * в часы́ моли́твы.

Твой стих, как бо́жий дух, носи́лся над толпо́й
  И, о́тзыв мы́слей благоро́дных,
Звуча́л, как ко́локол на ба́шне вечево́й *
  Во дни́ торже́ств и бед наро́дных.

Но ску́чен нам просто́й и го́рдый твой язы́к,
  Нас те́шат * блёстки и обма́ны;
Как ве́тхая * краса́, наш ве́тхий мир привы́к
  Морщи́ны пря́тать под румя́ны...

Проснёшься ль ты опя́ть, осме́янный проро́к!
  Иль никогда́, на го́лос мще́нья,
Из золоты́х ножо́н не вы́рвешь свой клино́к,
  Покры́тый ржа́вчиной презре́нья?..

## ТРИ ПА́ЛЬМЫ

### (Восточное сказание)

В песча́ных степя́х арави́йской земли́ *
Три го́рдые па́льмы высо́ко росли́.
Родни́к ме́жду ни́ми из по́чвы беспло́дной,
Журча́, пробива́лся волно́ю холо́дной,
Храни́мый, под се́нью зелёных листо́в,
От зно́йных луче́й и летучих песко́в.

И мно́гие го́ды неслы́шно прошли́;
Но стра́нник уста́лый из чу́ждой земли́
Пыла́ющей гру́дью ко вла́ге студёной
Ещё не склоня́лся под ку́щей * зелёной,
И ста́ли уж со́хнуть от зно́йных луче́й
Роско́шные ли́стья и зву́чный руче́й.

И ста́ли три па́льмы на бо́га ропта́ть: *
«На то́ ль * мы роди́лись, чтоб здесь увяда́ть?
Без по́льзы в пусты́не росли́ и цвели́ мы,
Коле́блемы ви́хрем * и зно́ем палимы́, *
Ниче́й благоскло́нный не ра́дуя взор?..
Не пра́в твой, о не́бо, свято́й пригово́р!»

34

Your measured words set warriors' hearts afire
    As battle trumpets' blare;
Made drunk like wine, and even might aspire
    To rise like incense at the hour of prayer.

Your verses, like the Spirit, hovered free
    The echo of great thoughts to catch and tell;
At times of triumph or calamity
    Your voice would ring forth like the Veche bell.

Yet now your ancient mode, so simple and so proud,
    We quit for gayer trappings
And, like an ageing belle, our ageing muse would
                                        shroud
    Her ugliness in paint and gauzy wrappings.

Ah, poor, mocked prophet ... will you never make,
    Nor ever now, to avenge these insults bent,
Pluck from its guilded sheath the dagger's blade
    Now rusted by contempt?

## THREE PALMS

### A Tale of the East

Three palms proudly grew in Arabia fair....
Beneath them, on soil that was arid and bare,
A spring bubbled up and went gurgling and playing,
No fear of the winds or the sandstorms betraying.
The leaves of the palms gave it coolness and shade,
And safe from the blaze in their shelter it stayed.

Years passed, but no wanderer, roaming these lands,
Discovered the spring in the midst of the sands,
None knelt here, none refuge and sustenance sought
                                        here,
None thirstily drank of the life-giving water....
Years passed, and, exposed to the merciless sky,
The lush bower of leaves started slowly to dry.

"How harsh is our fate!" said the palms with a sigh.
"Alas! To be born but to wilt here and die.
In vain did we flower—for what good did it bring us?
In vain did we let sun and wind burn and sting us.
Our life has been futile, no man have we served....
Unjust is thy wrath, Lord, and little deserved!"

И только замолкли — в дали голубой
Столбом уж крутился песок золотой,
Звонков раздавались нестройные звуки,
Пестрели коврами покрытые вьюки, *
И шёл, колыхаясь, как в море челнок,
Верблюд за верблюдом, взрывая песок.


Мотаясь, висели меж твёрдых горбов
Узорные полы походных шатров;
Их смуглые ручки порой подымали,
И чёрные очи * оттуда сверкали...
И, стан * худощавый к луке * наклоня,
Араб горячил * вороного коня.


И конь на дыбы подымался * порой, *
И прыгал, как барс, * поражённый * стрелой:
И белой одежды красивые складки
По плечам * фариса * вились в беспорядке;
И, с криком и свистом несясь * по песку,
Бросал и ловил он копьё на скаку.


Вот к пальмам подходит, шумя, караван:
В тени их весёлый раскинулся стан. *
Кувшины звуча налилися водою,
И, гордо кивая махровой главою,
Приветствуют пальмы нежданных гостей,
И щедро поит их студёный ручей.


Но только что сумрак на землю упал,
По корням упругим топор застучал,
И пали без жизни питомцы столетий!
Одежду их сорвали * малые дети,
Изрублены были тела их потом,
И медленно жгли их до утра огнём.


Когда же на запад умчался туман,
Урочный * свой путь совершал караван;
И следом печальным на почве бесплодной
Виднелся лишь пепел седой и холодный;

They spoke, and at once, in the distance—behold!—
There rose clouds of dust of the colour of gold.
A jangling of bells rent the air, and a ringing,
And rug-covered packs, bright and many-hued bringing,
Like so many ships, with the seas safely spanned,
Of camels a train toward them ploughed through the
                                                    sand.

And fast to the humps of the animals strung,
The sun-faded tents of the nomad folk hung,
A flashing dark eye peeping out through the flowing
And billowing folds, or a slender hand showing.
And, bent o'er the pommel, the desert's own son,
A slim-waisted Arab, his horse goaded on.

The horse neighed and reared, and then, neighing anew,
Pranced round, like an ounce by an arrow pierced
                                                  through,
The horseman's white robes as he sat on the leaping
And whinnying steed, o'er its sable flanks sweeping,
And flying behind him, when, spinning about,
He flung up his lance with a whistle and a shout.

The nomads drew near; 'neath the palms camp was
                                                    made,
And laughter and talk rent the calm. In the shade,
Jugs, parched by the sunshine, with water stood
                                                  filling
That welled out the spring, gently humming and
                                                   trilling.
The palms bowed and nodded and waved to their
                                                  guests,
And gravely they offered them welcome and rest.

But dusk brought of axes the sharp, cruel sound,
And down came the lords of the sands to the ground.
Ripped off were their cloaks, torn to pieces and
                                                scattered,
Chopped up were their mighty old bodies and shattered,
And later, when night, cool and shadowy came,
Fed slowly to avid and hungering flame.

At dawn, as the mist westward sped and away,
The caravan, rising, set off on its way,
And there, on the ground, left abandoned behind it,
Of ash lay a heap.... For the sun rays to find it

И солнце остатки сухие дожгло,
А ветром их в степи потом разнесло.

И ныне всё дико и пусто кругом —
Не шепчутся листья с гремучим ключом: *
Напрасно пророка о тени он просит —
Его лишь песок раскалённый заносит *
Да коршун хохлатый, степной нелюдим, *
Добычу терзает и щиплет над ним.

## КАЗАЧЬЯ * КОЛЫБЕЛЬНАЯ ПЕСНЯ

Спи, младенец мой прекрасный,
    Баюшки-баю. *
Тихо смотрит месяц * ясный
    В колыбель твою.
Стану сказывать * я сказки,
    Песенку спою;
Ты ж дремли, закрывши * глазки,
    Баюшки-баю.

По камням струится Терек,
    Плещет мутный вал;
Злой чечен * ползёт на берег,
    Точит свой кинжал; *
Но отец твой старый воин,
    Закалён в бою:
Спи, малютка, будь спокоен,
    Баюшки-баю.

Сам узнаешь, будет время,
    Бранное житьё; *
Смело вденешь ногу в стремя *
    И возьмёшь ружьё.
Я седельце * боевое
    Шёлком разошью...
Спи, дитя моё родное,
    Баюшки-баю.

Богатырь * ты будешь с виду *
    И казак душой. *
Провожать тебя я выйду —
    Ты махнёшь рукой... *
Сколько горьких слёз украдкой *
    Я в ту ночь пролью!..

Took minutes: they burnt it, and burnt it again,
And wind strewed the thin, greyish dust o'er the plain.

To-day, all is wild here and empty and bleak....
Leaves, once never still, to the spring no more speak,
And vainly to God in its helplessness turning,
For shade does it beg—o'er it, white-hot and burning,
Whip sands, while nearby, in the bright glare of day
A brown tufted kite silent claws at its prey.

## A COSSACK LULLABY

Sleep, my darling, sleep, my baby,
   Close your eyes and sleep.
Darkness comes; into your cradle
   Moonbeams shyly peep.
Many pretty songs I'll sing you
   And a lullaby.
Pleasant dreams the night will bring you....
   Sleep, dear, rock-a-bye.

Muddy waters churn in anger,
   Loud the Terek roars,
And a Chechen with a dagger
   Leaps onto the shore.
Steeled your father is in gory
   Battle.... You and I,
Little one, we need not worry... .
   Sleep, dear, rock-a-bye.

There will come a day when boldly,
   Like your dad, my son,
You will mount your horse and shoulder,
   Proud, a Cossack gun.
With bright silks your saddle for you
   I will sew.... There lie
Roads as yet untrod before you....
   Sleep, dear, rock-a-bye.

You'll grow up to be a fearless
   Cossack, and a true.
Off you'll ride, and I'll stand tearless,
   Looking after you.
But when you are gone from sight, son,
   Bitterly I'll cry....

Спи, мой а́нгел, ти́хо, сла́дко,
    Ба́юшки-баю́.

Ста́ну * я тоско́й томи́ться,
    Безуте́шно * ждать;
Ста́ну це́лый день моли́ться,
    По ноча́м гада́ть;
Ста́ну ду́мать, что скуча́ешь
    Ты в чужо́м краю́...
Спи ж, пока́ забо́т не зна́ешь,
    Ба́юшки-баю́.

Дам тебе́ я на доро́гу
    Образо́к * свято́й:
Ты его́, моля́ся бо́гу,
    Ставь перед собо́й;
Да гото́вясь в бой опа́сный,
    По́мни мать свою́...
Спи, младе́нец мой прекра́сный,
    Ба́юшки-баю́.

## ОТЧЕГО

Мне гру́стно, потому́ что я тебя́ люблю́,
И зна́ю: мо́лодость цвету́щую твою́
Не пощади́т молвы́ кова́рное гоне́нье.
За ка́ждый све́тлый день иль сла́дкое мгнове́нье
Слеза́ми и тоско́й запла́тишь ты судьбе́.
Мне гру́стно... потому́ что ве́село тебе́.

## РОДИНА

Люблю́ отчи́зну я, но стра́нною любо́вью!
    Не победи́т её рассу́док мой.
    Ни сла́ва, ку́пленная кро́вью,
Ни по́лный го́рдого дове́рия поко́й, *
Ни тёмной * старины́ заве́тные преда́нья *
Не шевеля́т * во мне отра́дного * мечта́нья.
    Но я люблю́ — за что́, не зна́ю сам —
    Её степе́й холо́дное молча́нье,
    Её лесо́в безбре́жных * колыха́нье, *
Разли́вы рек её, подо́бные моря́м;
Просёлочным путём * люблю́ скака́ть в теле́ге
И, взо́ром ме́дленным пронза́я но́чи тень,

May the dreams you dream be light, son;
    Sleep, dear, rock-a-bye.

Thoughts of you when we are parted
    All my days will fill.
In the nighttime, anxious-hearted,
    Pray for you I will.
I'll be thinking that you're lonely,
    That for home you sigh....
Sleep, my son, my one and only,
    Sleep, dear, rock-a-bye.

I will see you to the turning,
    And you'll ride away.
With my icon you will journey
    And before it pray.
Let your thoughts in time of danger
    To your mother fly.
Close your eyes and sleep, my angel,
    Sleep, dear, rock-a-bye.

## BECAUSE

If I am sad it is because I am in love with you,
And well I know: the blight of rumour most untrue
Will not forbear to mark your blooming youth with
                          sorrow.
For every hour of joy Fate will exact tomorrow
A toll of tears and pain that you alone must pay.
So I am sad, my dearest love, because you are so gay.

## MY NATIVE LAND

I love my native land, but mine's a strange love, truly,
    And baffles reason. Neither glory bought
    With blood, nor, I record it duly,
A calm to proud faith wed, nor exploits brought
To life in tales and myths, and out the dim past taken
Within my heart a glad response awaken.

And yet I love, not knowing why they please,
Her rolling steppes, at once so chill and soundless,
Her wind-swept, rustling groves and forests boundless,
Her streams, by vernal floods made nigh as broad as
                          seas....

Встречать по сторонам, вздыхая о ночлеге,
Дрожащие огни печальных деревень;
    Люблю дымок спалённой жнивы, *
    В степи ночующий обоз
    И на холме средь жёлтой нивы *
    Чету * белеющих берёз.
С отрадой, многим незнакомой,
Я вижу полное гумно, *
Избу, покрытую соломой,
С резными ставнями * окно;
И в праздник, вечером росистым,
Смотреть до полночи готов
На пляску с топаньем и свистом
Под говор пьяных мужичков.

## СОН

    В полдневный жар в долине Дагестана *
    С свинцом в груди лежал недвижим я;
    Глубокая ещё дымилась рана,
    По капле кровь точилася * моя.

    Лежал один я на песке долины;
    Уступы скал теснилися кругом,
    И солнце жгло их жёлтые вершины
    И жгло меня — но спал я мёртвым сном.

    И снился мне сияющий огнями
    Вечерний пир в родимой стороне.
    Меж юных жён, * увенчанных * цветами,
    Шёл разговор весёлый обо мне.

    Но, в разговор весёлый не вступая,
    Сидела там задумчиво одна,
    И в грустный сон душа её младая *
    Бог знает чем была погружена;

    И снилась * ей долина Дагестана;
    Знакомый труп лежал в долине той;
    В его груди, дымясь, чернела рана,
    И кровь лилась хладеющей струёй.

Reclining in a cart and for a warm bed sighing,
I love to bump along a country road at night
And meet with drowsy eye, the shadowed dark defying,
Of cheerless villages the lonely, trembling lights.
  Smoke coiling o'er a field of stubble,
  A string of wagons, homeward bound
  Or camping in the steppe, two humble
Young birches perched atop a mound,
  A barn with grain stocked to the ceiling,
Carved wooden shutters, roofs of thatch—
  All, all within me rouse a feeling
  Of joy.... And, too, I like to watch
  The village dancers stamping wildly
  And whistling of a Sunday, while
  Drunk muzhiks, sitting nearby idly,
With talk night's spun-out hours beguile.

## THE DREAM

In Daghestan, no cloud its hot sun cloaking,
A bullet in my side, I lay without
Movement or sound, my wound still fresh and

          smoking
And drop by drop my lifeblood trickling out.

Stretched on the sand I lay, and darkly round me
The jutting hills hung motionless. ... Upon
Their tops the sun poured full; its bright rays

         found me
And burnt me too—but I slept soundly on.

I dreamt about my homeland and a merry
And glittering feast where all was noise and glee
And where young wives, flower-garlanded, in airy
And lightsome talk indulged, and spoke of me.

But there was one who sat there pensive, buried
In thought remote: alone she waxed not gay.
By sorrowful dreams her youthful soul was carried,
Why, only Heaven knew, far, far away.

'Twas Daghestan's bright vale that she did dream

         of—
A man lay there whom she had known of old.
A black wound in his side gaped and a stream of
Blood from it came that, slowing, fast turned cold.

1

Нет, не тебя так пылко я люблю,
Не для меня красы твоей блистанье;
Люблю в тебе я прошлое страданье
И молодость погибшую мою.

2

Когда порой * я на тебя смотрю,
В твои глаза вникая * долгим взором:
Таинственным я занят разговором,
Но не с тобой я сердцем говорю.

3

Я говорю с подругой юных дней,
В твоих чертах ищу черты другие,
В устах живых уста * давно немые,
В глазах огонь угаснувших очей. *

*　*　*

1

Выхожу один я на дорогу;
Сквозь туман кремнистый * путь блестит;
Ночь тиха. Пустыня внемлет * богу,
И звезда с звездою говорит.

2

В небесах торжественно и чудно!
Спит земля в сиянье голубом...
Что же мне так больно и так трудно?
Жду ль чего? Жалею ли о чём?

3

Уж не жду от жизни ничего я,
И не жаль мне прошлого ничуть;
Я ищу свободы и покоя!
Я б хотел забыться * и заснуть!

1

No, not on you my passion's bent
And not for me your beauty's splendour;
In you I love what I remember
Of sorrow past and youth misspent.

2

And sometimes when I look at you and seek
With steadfast gaze to penetrate your heart
In occult colloquies I bear my part—
But it is with another that I speak.

3

I speak then with that long-lost love of mine,
Seek other features in your features' stead
And, in your living lips, see lips long dead,
And see your eyes with burnt-out ardours shine.

\*    \*    \*

1

Lone's the mist-cloaked road before me lying;
On and on it winds and draws me far.
Night is still, all earthly sounds are dying;
Nature lists to God; star speaks to star.

2

Clothed in dark is earth and wrapt in slumber,
And the skies are full of majesty.
Why, then, does reflection, drear and sombre,
Plague my heart and slay felicity?

3

I await no boons of fate, regretting
Not the past, for that is buried deep.
Ah, to find true freedom, true forgetting
In the calm of everlasting sleep!

Но не тем холóдным сном могúлы...
Я б желáл навéки так заснýть,
Чтоб в грудú дремáли жúзни сúлы,
Чтоб, дышá, вздымáлась * тúхо грудь;

Чтоб всю ночь, весь день мой слух лелéя, *
Про любóвь мне слáдкий гóлос пел,
Надо мнóй чтоб, вéчно зеленéя,
Тёмный дуб склонялся и шумéл.

## МОРСКАЯ ЦАРЕВНА

В мóре царéвич купáет коня;
Слы́шит: «Царéвич! взгляни́ на меня!»

Фы́ркает конь и ушáми прядёт, *
Бры́зжет и плéщет и дáле * плывёт.

Слы́шит царéвич: «Я цáрская дочь!
Хóчешь провéсть ты с царéвною ночь?»

Вот показáлась рукá из воды́,
Лóвит за кúсти шелкóвой * узды́.

Вы́шла младáя * потóм головá,
В кóсу вплелáся * морскáя травá.

Сúние óчи * любóвью горя́т;
Бры́зги на шéе, как жéмчуг, дрожáт.

Мы́слит * царéвич: «Добрó же! постóй!» *
Зá косу * лóвко схватúл он рукóй.

Дéржит, рукá боевáя сильнá:
Плáчет и мóлит * и бьётся * онá.

К бéрегу вúтязь отвáжно плывёт;
Вы́плыл; товáрищей грóмко зовёт:

«Эй, вы! сходúтесь, лихúе * друзья!
Гля́ньте, как бьётся добы́ча моя́...

Yet I dread the cold and clammy fingers
And the leaden, icy sleep of death.
Would that life within me, dormant, lingered
And I felt its warm and balmy breath;

Would that love's own voice, my ear caressing,
Night and day sang dulcet song to me,
And an ancient oak, my slumber blessing,
Swayed above my head eternally.

## THE SEA PRINCESS

Bathing his horse was a prince one fine day....
Round them the sea plashed. "Prince, look at me,
pray!"

Whispered a voice, and the horse, in a fright,
Plunged, kicked and snorted, and tried to take flight.

"Come, prince," the voice said, "a king's child am I.
Come, my beloved, in my arms you shall lie!"

Out of the sea shows a hand white as milk,
Clutches it does at the bridle of silk.

Then does a maid's head emerge; in the hair
Seaweed is twined; drops of water like rare

Pearls on the neck gleam; the eyes, deep and blue,
Flame with a feverish passion and true.

"Wait!" the prince mutters. "Thou fair damsel, wait!"
Boldly his deft fingers grasp at her plait.

Holds he the maid, while despairingly she
Struggles and weeps and attempts to break free.

Deaf to her pleas and still gripping her tight,
Quickly for shore with the maid makes the knight.

"Ho, friends, come nigh!" to his comrades calls he.
"Look at the prize I have torn from the sea!

Что ж вы стоите смущённой толпой?
Али * красы не видали такой?»

Вот оглянулся царевич назад:
Ахнул! померк торжествующий взгляд.

Видит, лежит на песке золотом
Чудо * морское с зелёным хвостом;

Хвост чешуею змейной покрыт,
Весь замирая, свиваясь, * дрожит;

Пена струями сбегает с чела, *
Очи * одела смертельная мгла.

Бледные руки хватают песок;
Шепчут уста * непонятный упрёк...

Едет царевич задумчиво прочь,
Будет он помнить про царскую дочь!

# ПЕСНЯ * ПРО ЦАРЯ ИВАНА ВАСИЛЬЕВИЧА, *
# МОЛОДОГО ОПРИЧНИКА *
# И УДАЛОГО * КУПЦА * КАЛАШНИКОВА

Ой ты гой еси, * царь Иван Васильевич!
Про тебя нашу песню сложили * мы,
Про твово * любимого опричника
Да * про смелого купца, про Калашникова;
Мы сложили её на старинный лад, *
Мы певали * её под гуслярный * звон
И причитывали да приказывали. *
Православный народ ею тешился, *
А боярин * Матвей Ромодановский
Нам чарку * поднёс мёду пенного, *
А боярыня его белолицая
Поднесла нам на блюде серебряном
Полотенце новое, шёлком шитое.
Угощали нас три дни, три ночи
И всё слушали — не наслушались.

I

Не сияет на небе солнце красное,
Не любуются им тучки синие: *

"Why do you stand there so still on the shore?
Have you not gazed on such beauty before?"

Back for a glance turns the prince—from his eye
Triumph fast fades and a horrified cry

Bursts from his lips—at his feet lies no pale
Maid but a monster whose green, scaly tail

Coils like a serpent's, and, coming unwound,
Trembles and shivers and twists on the ground.

Sea foam streams down o'er the white, anguished face;
Death's ashen pall shrouds the blue of the gaze;

Limp fingers clutch at the sand, and the weak
Lips muffled words of reproach softly speak....

Off rides the knight, dark of soul, dark of brow—
He would forget her, but does not know how.

## THE LAY OF TSAR IVAN VASSILYEVICH, HIS YOUNG OPRICHNIK AND THE STOUTHEARTED MERCHANT KALASHNIKOV

Hail to thee, all hail, Tsar Ivan Vassilyevich!
'Tis of thee our lay we did make, O Tsar!
Aye, of thee, and thy well-liked *oprichnik,*
And the stouthearted merchant Kaláshnikov.
In the ancient manner we made the lay,
To the strains of the psaltery sing it we did,
We intoned it loud and we chanted it,
And all good Christian folk took delight in it.
As for *boyar* Matvéi Romodánovsky,
He to each gave a goblet of foaming mead,
And his lady fair did to us present,
On a silver tray laid out prettily,
A right handsome towel sewn with silken thread.
For three days and three nights in the feast we joined,
Sing we did 'thout end, but they clamoured for more.

### I

Nay, 'tis not the sun shining bright in the sky,
With the clouds at its beauty marvelling;

То за тра́пезой * сиди́т во злато́м * венце́,
Сиди́т гро́зный царь Ива́н Васи́льевич.
Позади́ его́ стоя́т сто́льники, *
Супроти́в * его́ всё * боя́ре да * князья́,
По бока́м его́ всё опри́чники;
И пиру́ет царь во сла́ву бо́жию,
В удово́льствие своё и весе́лие.

    Улыба́ясь, царь повеле́л тогда́
Вина́ сла́дкого замо́рского *
Нацеди́ть * в свой золочённый ковш
И поднесть * его́ опри́чникам.
— И все пи́ли, царя́ сла́вили.

    Лишь оди́н из них, из опри́чников,
Удало́й боец, бу́йный мо́лодец, *
В золото́м ковше́ не мочи́л усо́в;
Опусти́л он в зе́млю о́чи * тёмные,
Опусти́л голо́вушку * на широ́ку * грудь —
А в груди́ его́ была́ ду́ма кре́пкая.

    Вот нахму́рил царь бро́ви чёрные
И навёл на него́ о́чи зо́ркие,
Сло́вно я́стреб взгляну́л с высоты́ небе́с
На младо́го го́лубя сизокры́лого, —
Да не по́днял глаз молодо́й боец.
Вот об зе́млю царь сту́кнул па́лкою,
И дубо́вый пол на полче́тверти *
Он желе́зным проби́л оконе́чником —
Да не вздро́гнул и тут молодо́й боец.
Вот промо́лвил * царь сло́во гро́зное —
И очну́лся * тогда́ до́брый мо́лодец.

    «Гей ты, * ве́рный наш слуга́, Кирибе́евич,
Аль * ты ду́му затаи́л нечести́вую? *
Али́ * сла́ве на́шей зави́дуешь?
Али́ слу́жба тебе́ че́стная приску́чила? *
Когда́ всхо́дит ме́сяц — звёзды ра́дуются,
Что светле́й им гуля́ть по поднебе́сью;
А кото́рая в ту́чку пря́чется,
Та стремгла́в * на зе́млю па́дает...
Неприли́чно же тебе́, Кирибе́евич,
Ца́рской ра́достью гнуша́тися; *
А из ро́ду ты ведь Скура́товых, *
И семьёю ты вско́рмлен Малю́тиной!..»

'Tis the Tsar at his board seated, proud of mien,
Tsar Ivan Vassilyevich in his crown of gold.
And behind him there stand his serving men,
And before him the *boyars* and princes sit,
His *oprichniks* they sit to each side of him.
To the glory of God does the good Tsar feast,
Merry makes the Tsar to his heart's content.

With a smile does he now bid his serving men
Fill his own gold cup full of rich, sweet wine,
Full of rich, sweet wine from beyond the seas,
And to pass it round to his henchmen bold—
The *oprichniks* drink and the Tsar they praise.

One amongst them all, he, a fine, brave youth,
But a wilful one, of unruly heart,
In the golden cup did not wet his lips;
Dark of face he sat, with his head bowed low
And his eyes cast down to the very ground,
Plunged in gloom sat he and in trying thought.

And the mighty Tsar sorely vexed was he,
Knit his brows he did, and with piercing gaze,
Like the hawk that, grim, from the heights above
Eyes the grey-blue dove, so the youth he eyed.
But the youth sat on, with his head bowed low....
In his wrath the Tsar brought his thick staff down;
With a deafening crash did its iron point
Full it sink and deep in the oaken floor—
Still the youth sat on, not a start gave he.
Then in thunderous tones did the Tsar speak up—
And the youth was roused from his revery.

"Hark and list, Kiribéyevich, brave my lad,
Is it treacherous thought thou dost harbour, say?
Dost thou envy the Tsar his glory and fame?
Of thy faithful service art weary grown?...
When the moon appears, the bright stars rejoice
That the paths of heaven wax luminous.
But should one amongst them hide its face,
To the shadowed earth it will, flashing, fall....
'Tis not meet for thee, Kiribeyevich,
Thus to scorn thy Tsar and his revelry;
Art thou not a Skurátov man by birth,
In Malyúta's own house and home brought up?..."

Отвечает так Кирибеевич,
Царю грозному в пояс кланяясь: *

«Государь ты наш, Иван Васильевич!
Не кори * ты раба недостойного:
Сердца жаркого не залить вином,
Думу чёрную — не запотчевать! *
А прогневал * я тебя — воля царская:
Прикажи казнить, рубить голову,
Тяготит она плечи богатырские,
И сама к сырой земле * она клонится».

И сказал ему царь Иван Васильевич:
«Да об чём * тебе, молодцу, кручиниться? *
Не истёрся ли твой парчевой * кафтан? *
Не измялась ли шапка соболиная?
Не казна * ли у тебя поистратилась?
Иль зазубрилась * сабля закалённая?
Или конь захромал, худо * кованный?
Или с ног тебя сбил на кулачном бою, *
На Москве-реке, сын купеческий?»

Отвечает так Кирибеевич,
Покачав головою * кудрявою:

«Не родилась та рука заколдованная
Ни в боярском роду, ни в купеческом;
Аргамак * мой степной ходит весело;
Как стекло горит сабля вострая; *
А на праздничный день твоей милостью *
Мы не хуже другого нарядимся.

Как я сяду поеду на лихом коне
За Москву-реку покататися, *
Кушачком * подтянуся * шёлковым,
Заломлю набочок * шапку бархатную,
Чёрным соболем оторóченную, *—
У ворот стоят у тесовых *
Красны девушки * да молодушки *
И любуются, глядя, перешёптываясь;
Лишь одна не глядит, не любуется,
Полосатой фатой * закрывается...

На святой Руси, нашей матушке,
Не найти, не сыскать * такой красавицы:
Ходит плавно — будто * лебёдушка;

To his Tsar the *oprichnik* answer made,
'Fore him low, to the very ground, he bowed:

"Hear me out, my Tsar, hear me out, I pray!
Be not wroth with me, thy unworthy slave!
Wine won't quench the flames of a burning heart,
Gloomy thoughts and dark it will not drive off.
If I vex thee, sire, let thy will be done,
Bid them seize thy slave and his head chop off—
Heavy weighs it, Tsar, on my shoulders broad,
Of itself it bows to the grass-grown earth...."

Said to him the Tsar, with a laugh said he:
"What is there that grieves one so brave and young?
Is thy silken coat frayed and worn with age?
Is thy sable cap, once so fine, now torn?
Is thy purse, once full, free of jingling coin?
Has thy sword, once sharp, tarnished grown and blunt?
Has thy steed gone lame? Was he poorly shod?
Did a merchant's son knock thee off thy feet
In a fist fight fought on the river bank?"

Kiribeyevich of the curly locks
Proudly tossed his head as reply he made:

"Not a merchant's son, nor a *boyar's* son,
Nay, no man is there that can knock me down;
Fast my good steed runs, never falters he;
Bright as polished glass gleams my sabre sharp;
By thy favour, sire, on a festive day
Boast I do of dress rich as any man's;

When my steed I mount and go riding him
By the Moskva Stream and beyond as well,
With my silken sash round my waist wound tight
And my velvet cap trimmed with sable fur
On my curly head sitting rakishly,
At their gates appear fair young maids and wives,
By their gates they stand and they gaze at me,
And in whispers soft to each other speak.
Only one of them turns away from me,
With a striped silk veil her dear face she clothes...

"Search the whole of Russ, this our holy land,
And you'll never find one as fair, O Tsar:
Moves she gracefully as a white-winged swan,

Смотрит сладко — как голубушка;
Молвит * слово — соловей поёт;
Горят щёки её румяные,
Как заря на небе божием;
Косы русые, золотистые,
В ленты яркие заплетённые,
По плечам бегут, извиваются,
С грудью белою целуются. *
Во семье * родилась она купеческой,
Прозывается * Алёной Дмитревной.


Как увижу её, я и сам не свой: *
Опускаются руки сильные,
Помрачаются очи бойкие;
Скучно, грустно мне, православный царь,
Одному по свету маяться. *
Опостыли * мне кони лёгкие,
Опостыли наряды парчёвые,
И не надо мне золотой казны:
С кем казною своей поделюсь теперь?
Перед кем покажу удальство * своё?
Перед кем я нарядом * похвастаюсь?


Отпусти меня в степи приволжские,
На житьё на вольное, на казацкое. *
Уж сложу я там буйную * головушку *
И сложу на копьё бусурманское; *
И разделят по себе * злы * татаровья *
Коня доброго, саблю острую
И седельце браное * черкасское. *
Мои очи слёзные коршун выклюет,
Мои кости сирые * дождик вымоет,
И без похорон горемычный * прах
На четыре стороны развеется!..»


И сказал, смеясь, Иван Васильевич:
«Ну, мой верный слуга! я твоей беде,
Твоему горю пособить * постараюся. *
Вот возьми перстенёк ты мой яхонтовый
Да возьми ожерелье жемчужное.
Прежде свахе смышлёной * покланяйся *
И пошли дары драгоценные
Ты своей Алёне Дмитревне:
Как полюбишься * — празднуй свадебку,
Не полюбишься — не прогневайся».

54

Gentle is her gaze as a sweet young dove's,
Tender is her voice as a nightingale's,
Pink as dawn's first ray in the heavens high,
Bloom the roses two on her fresh young cheeks;
Twined with ribbons gay is her golden hair,
Tightly bound is it into silken plaits.
Down her shoulders, sire, run they playfully
And her bosom white touch caressingly.
Born was she in a merchant's house and home
And is named Alyóna Dmítrevna.

"When I look at her I am not myself:
Strengthless grow my arms, limp they grow and weak,
And my eyes so keen, turn they dark and dim;
Sorrow fills my heart at the fearful thought
That the world alone I must roam, O Tsar.
In my charger swift I delight no more,
Nor in costly garb and in finery,
Little do I care for a well-stuffed purse....
Who is there the gold that is mine to share?
Before whom shall I of my prowess boast?
'Fore whose gaze shall I my rich garb display?

"Give me leave to go to the Volga steppe,
Let me lead the life of a Cossack free.
My hot head will I there in battle lose,
By a Tatar hand 'twill be smitten off,
And the infidels for themselves will they
Take my sabre sharp and my goodly steed
And my saddle rich of Circassian make.
At my eyes the ravens will tear and peck,
On my lonely bones dreary rains will fall,
Without burial will my poor dust be
Blown across the steppe by a gusty wind...."

To these words the Tsar with a laugh replied:
"Faithful servant mine, I will soothe thy pain,
To thy aid thy Tsar in thy grief will come.
Take my ruby ring and this necklace take—
Made of pearls is it full a joy to see;
Find a clever wife for a matchmaker,
And these precious gifts have her bear in haste
To thy lady fair Alyona Dmitrevna:
If she'll have thee, lad, hold a wedding feast;
If she'll have thee not, be not sore of heart."

«Ой ты гой еси, * царь Иван Васильевич!
Обманул тебя твой лукавый раб,
Не сказал тебе правды истинной,
Не поведал * тебе, что красавица
В церкви божией перевенчана, *
Перевенчана с молодым купцом
По закону нашему христианскому...»

* * *

Ай, ребята, пойте — только гусли стройте! *
Ай, ребята, пейте — дело разумейте!
Уж потешьте * вы доброго боярина
И боярыню его белолицую!

## II

За прилавкою * сидит молодой купец,
Статный * молодец Степан Парамонович,
По прозванию * Калашников;
Шелковые * товары раскладывает,
Речью ласковой гостей он заманивает, *
Злато, * серебро * пересчитывает.
Да недобрый день задался ему:
Ходят мимо баре * богатые,
В его лавочку * не заглядывают.

Отзвонили вечерню * во святых церквах; *
За Кремлём горит заря туманная;
Набегают тучки на небо,—
Гонит их метелица * распеваючи; *
Опустел широкий гостиный двор *.
Запирает Степан Парамонович
Свою лавочку дверью дубовою
Да замком немецким со пружиною;
Злого пса-ворчуна зубастого
На железную цепь привязывает,
И пошёл он домой, призадумавшись,
К молодой хозяйке за Москву-реку.

И приходит он в свой высокий дом,
И дивится Степан Парамонович:
Не встречает его молода * жена,
Не накрыт дубовый стол белой скатертью,
А свеча перед образом еле теплится. *

Hail to thee, all hail, Tsar Ivan Vassilyevich!
By thy cunning slave thou'rt deceived this day!
Aye, the truth has he from his Tsar withheld.
He has told thee not that his lady fair
Is another's wife, is a merchant's spouse
That in church was she to her husband wed
By our holy rites, by the Christian law.

* * *

Drink deep, my lads! Sing out in glee!
Come, lads, tune up the psaltery!
With your ringing music drive away care,
Bring cheer to our host and his lady fair!

## II

In the market place the young merchant sat,
Tall and handsome Stepán Paramónovich
Of the honest house of Kaláshnikov.
His gay silken wares laid he smartly out,
And his moneys he counted carefully,
In soft tones he called to the passers-by.
But 'twas little luck that the merchant had:
By his shop the rich folk they tarried not,
No one glanced within, no one bought his wares.

In the churches the vesper bells have rung,
O'er the Kremlin domes glow the sun's last rays;
Driven on by a singing, moaning wind,
Grey clouds scurry near and the heavens veil....
The great market place it has emptied fast,
And the merchant Stepan Paramonovich
Shuts behind him the massive oaken door,
Turns the figured key in the foreign lock,
And beside the shop, on an iron chain
His old watchdog, a snarling beast, he leaves.
Then, in thought immersed, off the merchant goes
To his home and wife across Moskva Stream.

Comes he soon enough to his fine, tall house,
And amazed he looks to all sides of him:
For his fair young wife does not welcome him,
Bare the table stands, with no cloth on it,
'Fore the icon a single candle gleams.

И кличет * он старую работницу:
«Ты скажи, скажи, Еремеевна,
А куда девалась,* затаилася *
В такой поздний час Алёна Дмитревна?
А что детки мои любезные —
Чай,* забегались, заигралися,*
Спозаранку * спать уложилися? *»

«Господин ты мой, Степан Парамонович,
Я скажу тебе диво дивное: *
Что к вечерне пошла Алёна Дмитревна;
Вот уж поп прошёл с молодой попадьёй,
Засветили свечу, сели ужинать,—
А по сю пору * твоя хозяюшка
Из приходской церкви не вернулася.
А что детки твои малые
Почивать * не легли, не играть пошли —
Плачем плачут *, всё не унимаются *».

И смутился тогда думой крепкою
Молодой купец Калашников;
И он стал к окну, глядит на улицу —
А на улице ночь темнёхонька; *
Валит * белый снег, расстилается,
Заметает след человеческий.

Вот он слышит, в сенях * дверью хлопнули,
Потом слышит шаги торопливые;
Обернулся, глядит — сила крестная! *—
Перед ним стоит молода жена,
Сама бледная, простоволосая,*
Косы русые расплетённые
Снегом-инеем пересыпаны;
Смотрят очи мутные как безумные;
Уста шепчут речи непонятные.

«Уж ты где, жена, жена, шаталася? *
На каком подворье *, на площади,
Что растрёпаны твои волосы,
Что одёжа * твоя вся изорвана?
Уж гуляла ты, пировала ты,
Чай, с сынками всё боярскими!..
Не на то пред святыми иконами
Мы с тобой, жена, обручалися,
Золотыми кольцами менялися!..
Как запру я тебя за железный замок,

58

Calls he then the aged servant woman:
"Come, speak up and say, Yereméyevna,
Where's thy mistress gone that I see her not?
Where's my wedded wife, Alyona Dmitrevna?
And my children dear, did they weary grow
Of their noisy games, of their play and sport?
Were they put abed at an early hour?"

"O my master dear, Stepan Paramonovich,
'Tis a full strange thing I will say to thee:
To the vespers went Alyona Dmitrevna;
But the priest and his wife are back from church,
They have lit a candle and at supper sit,
Yet thy lady fair she has not returned....
And the little ones they are not at play,
Nor are they abed and asleep, the dears;
It is wailing they are and sobbing loud,
For their mother crying and calling her."

By a fearful thought was he visited, —
Was the youthful merchant Kalashnikov.
By the window he stood with troubled heart,
At the snow-clad street gazed he fretfully.
It was dark without, and the snow swept down.
And it covered the tracks of the passers-by.

Of a sudden he hears a door slam shut,
And a hurried step to his ear it comes....
Spins he round, and there — Heaven help us all!—
Stands his fair young wife, white of face she stands,
With her headpiece gone and her plaits untwined
And with hoarfrost powdered and melting snow,
And a look in her eye as of one insane,
And her ashen lips forming soundless words....

"Where hast thou been a'wandering, wife, my wife?
To what courtyard or square didst thou stray, come,
                                                speak,
That thy head is bare and thy plaits undone
And thy clothing torn and in disarray?
From a wanton feast dost thou come this day?
With the *boyars'* sons hast thou, wife, caroused?
It was not for this we did plight our troth,
It was not for this 'fore the holy shrine
On our wedding morn we exchanged our rings.

За дубо́вую дверь око́ванную,
Что́бы све́ту бо́жьего ты не ви́дела,
Моё и́мя честно́е не поро́чила...»
И, услы́шав то, Алёна Дми́тревна
Задрожа́ла вся, моя́ голу́бушка,
Затрясла́сь как листо́чек оси́новый,
Го́рько-го́рько она́ воспла́калась,*
В но́ги му́жу повали́лася.*

«Госуда́рь ты мой, кра́сно со́лнышко,*
Иль убе́й меня́, и́ли вы́слушай!
Твои́ ре́чи — бу́дто о́стрый нож;
От них се́рдце разрыва́ется.
Не бою́ся * сме́рти лю́тыя,
Не бою́ся я людско́й молвы́,*
А бою́сь твое́й неми́лости *.

От вече́рни домо́й шла я но́нече *
Вдоль по у́лице одинёшенька.*
И послы́шалось мне,* бу́дто снег хрусти́т;
Огляну́лася *— челове́к бежи́т.
Мои́ но́женьки * подкоси́лися,
Шелко́вой * фато́й я закры́лася.
И он си́льно схвати́л меня́ за́ руки
И сказа́л мне так ти́хим шёпотом:
«Что пужа́ешься,* кра́сная краса́вица? *
Я не вор како́й, душегу́б * лесно́й,
Я слуга́ царя́, царя́ гро́зного,
Прозыва́юся * Кирибе́евичем,
А из сла́вной семьи́ из * Малю́тиной...»
Испуга́лась я пу́ще * пре́жнего;
Закружи́лась моя́ бе́дная голо́вушка.
И он стал меня́ целова́ть-ласка́ть
И, целу́я, всё пригова́ривал:
«Отвеча́й мне, чего́ тебе́ на́добно,*
Моя́ ми́лая, драгоце́нная!
Хо́чешь зо́лота а́ли * же́мчугу?
Хо́чешь я́рких камне́й аль * цветно́й парчи́?
Как цари́цу я наряжу́ тебя́,
Ста́нут все тебе́ зави́довать *,
Лишь не дай мне умере́ть сме́ртью гре́шною: *
Полюби́ меня́, обними́ меня́
Хоть еди́ный раз на проща́ние!»

И ласка́л он меня́, целова́л меня́;
На щека́х мои́х и тепе́рь горя́т,
Живы́м пла́менем разлива́ются

Behind oaken doors will I put thee, wife,
With an iron lock I will lock thee fast.
Ne'er the light of day shalt thou see again,
Nay, nor cast a slur on my honest name."
When the poor young wife heard these scathing
                                        words,
Like an aspen leaf she began to shake;
She began to shake and to sob and weep;
Down her cheeks the bitter tears they rolled,
To her knees she sank at her husband's feet.

    "O my lord, my own, O my radiant sun!
Hear me out or else slay me here and now.
Every word thou sayest to thy hapless wife
Is a knife of steel that doth pierce her heart.
'Tis not death I fear be it e'er so cruel,
'Tis not idle rumour that frightens me,
'Tis my lord's displeasure I fear to risk.

    "On my way I was from the church this night,
All alone I was when I thought I heard—
Just behind me, mind—someone's footsteps come.
Glanced I round, and, oh, how my knees they shook!—
'Twas a man, my lord, running after me....
O'er my face my veil pulled I close in haste.
But the brazen one caught my hands in his,
In a whisper soft spoke he thus to me:
'Wherefore fearest thou me, my lovely one?
Not a robber am I, not a highwayman
But the Tsar's *oprichnik* Kiribeyevich,
Of Malyuta's own house and family....'
By these words was I frighted all the more,
My poor head it spun and my sight grew dim....
He embraced me then and he kissed me too,
Hold me close he did, and he whispered thus:
'Speak and tell me, love, what thou wishest for,
Speak and answer me, and it shall be thine!
Is it pearls or gold that thy heart doth crave,
Is't brocade or silk thou wouldst have from me?
I will dress thee, love, like a princess true,
Of our Moscow wives thou'lt the envy be!...
Do not let me die a poor sinner's death,
Do not let my love unrequited stay,
Love me, kiss me, do, ere we part this night!'

    "And he kissed me then, kissed me many times,
Even now, my lord, when I'm safely back
In my husband's house, like a living flame

Поцелуи его окаянные...*
А смотрели в калитку * соседушки,*
Смеючись *, на нас пальцем показывали...*

Как из рук его я рванулася
И домой стремглав * бежать бросилась; *
И остались в руках у разбойника
Мой узорный платок, твой подарочек,
И фата * моя бухарская.*
Опозорил он, осрамил меня,
Меня честную, непорочную,—
И что скажут злые соседушки,
И кому на глаза покажусь теперь?

Ты не дай меня, свою верную жену,
Злым охульникам * в поругание! *
На кого, кроме тебя, мне надеяться?
У кого просить стану помощи?
На белом свете * я сиротинушка:
Родной батюшка уж в сырой земле,
Рядом с ним лежит моя матушка,
А мой старший брат, сам ты ведаешь,*
На чужой сторонушке * пропал без вести,*
А меньшой * мой брат — дитя малое,
Дитя малое, неразумное...»

Говорила так Алёна Дмитревна,
Горючьми слезами заливалася.*

Посылает Степан Парамонович
За двумя меньшими братьями;
И пришли его два брата, поклонилися *
И такое слово ему молвили: *
«Ты поведай * нам, старшой наш брат,
Что с тобой случилось, приключилося,
Что послал ты за нами во тёмную ночь,*
Во тёмную ночь морозную?»

«Я скажу вам, братцы любезные,
Что лиха беда * со мною приключилася:
Опозорил семью нашу честную
Злой опричник царский Кирибеевич;
А такой обиды не стерпеть душе
Да не вынести сердцу молодецкому.
Уж как завтра будет кулачный бой
На Москве-реке при самом царе,

62

His cursed kisses burn on my cheeks and brow.
At their gates, I saw, stood the neighbours' wives,
And they gaped at us, and they laughed in scorn....

"From his grasp at last I did tear myself,
And for home I made at a run, my lord....
In the villain's hands did thy gifts remain,
Both my silken veil and my coverchief.
Me, the blameless one, hath he sorely wronged,
On my honest self hath he brought disgrace....
What wild tales of me will the neighbours spin?
'Fore whose eyes shall I dare to show myself?...

"Pray, protect me, do, from the spiteful-tongued,
At thy faithful wife do not let them jeer!
Whom have I to trust but thy own sweet self
And to whom but thee can I turn for help?
But for thee am I in the world alone,
For my parents dear in the grave they lie,
In the cold, dark grave lie they do, alas!
Of my brothers two, one, the elder, left
For a distant shore and was seen no more,
And the younger, thou knowest, is a child in years,
Aye, a child in years and in wisdom too...."

It was thus spoke Alyona Dmitrevna,
Bitter tears she wept and her lot bemoaned.

Then the merchant Stepan Paramonovich
For his younger brothers in haste he sent,
And his brothers they came and they bowed to him,
In this wise they did speak, the two of them:
"At thy bidding we come, elder brother ours;
What misfortune is thine, tell us truthfully,
That we're summoned by thee at an hour so late
Of a frosty night in the wintertime?..."

"Hear me, brothers mine, and I'll tell you all.
Great mischance this day hath befallen me,
For the Tsar's *oprichnik* Kiribeyevich
On our honest name hath brought disgrace,
And a true man's heart cannot bear such wrong,
Such offence as this it cannot endure.
On the morrow the first fight is to be,
In the Tsar's own presence, on Moskva Stream....

И я выйду тогда на опричника,
Буду насмерть биться, до последних сил;
А побьёт он меня — выходите вы
За святую правду-матушку.
Не сробейте *, братцы любезные!
Вы моложе меня, свежей силою,
На вас меньше грехов накопилося,
Так авось * господь вас помилует!»

И в ответ ему братья молвили:
«Куда ветер дует в поднебесьи,
Туда мчатся и тучки послушные,
Когда сизый орёл зовёт голосом
На кровавую долину побоища,*
Зовёт пир пировать, мертвецов убирать,*
К нему малые орлята слетаются:
Ты наш старший брат, нам второй отец;
Делай сам, как знаешь, как ведаешь,
А уж мы тебя, родного, не выдадим».*

* * *

Ай, ребята, пойте — только гусли стройте! *
Ай, ребята, пейте — дело разумейте!
Уж потешьте вы доброго боярина
И боярыню его белолицую!

## III

Над Москвой великой, златоглавою,*
Над стеной кремлёвской белокаменной
Из-за дальних лесов, из-за синих гор,
По тесовым кровелькам играючи,*
Тучки серые разгоняючи,*
Заря алая подымается; *
Разметала кудри золотистые,*
Умывается снегами рассыпчатыми,
Как красавица, глядя в зеркальце,
В небо чистое смотрит, улыбается.
Уж зачем ты, алая заря, просыпалася?
На какой ты радости разыгралася?

Как сходилися, собирались
Удалые бойцы московские
На Москву-реку, на кулачный бой,
Разгуляться для праздника, потешиться.

With the Tsar's *oprichnik* I'll come to grips,
To the death the rascally knave I'll fight!
And should I be slain, then, my brothers dear,
Come you out in my stead and fight for truth,
Fight for honour and truth and be not afeared!
You are younger than I and of fresher strength,
You have sinned the less, and your souls are pure,
And perchance the Lord will be kind to you."

And the brothers two in reply they said:
"Where the wind it blows in the heavens high,
There the clouds, obedient, rush in haste.
When the blue-winged eagle with raucous cry
Calls his young to the field where lie the slain,
When he summons them to a gory feast,
At his call they come without dallying.
Thou'rt a father true, brother dear, to us,
'Tis for thee to say and for us to do;
That by thee we'll stand thou canst rest assured."

\* \* \*

Drink deep, my lads! Sing out in glee!
Come, lads, tune up the psaltery!
With your ringing music drive away care,
Bring cheer to our host and his lady fair!

### III

Over Moscow the great and golden-domed,
O'er the Kremlin walls, o'er its white stone walls,
Rises early morn in its crimson robes.
From beyond the hills comes the early morn,
And it steals o'er the housetops playfully,
And it drives off the clouds relentlessly.
Its gold tresses the morn o'er the blue skies spreads,
And its face it bathes in the snows so white,
Like a proud young beauty in a looking glass
It beholds itself in the heavens clear.
Why art thou awake, crimson morn so bright?
Why dost thou rejoice, early morn so fresh?

From the whole of ancient Moscow-town
Came the fighters bold, came the fighters brave,
For the fisticuffs on the holiday
Gathered they by the frozen Moskva Stream.

И приехал царь со дружиною,*
Со боярами* и опричниками,
И велел растянуть цепь серебряную,
Чистым золотом в кольцах спаянную,
Оцепили место в двадцать пять сажень,*
Для охотницкого* бою, одиночного.
И велел тогда царь Иван Васильевич
Клич кликать* звонким голосом:
«Ой, уж где вы, добрые молодцы?
Вы потешьте царя нашего батюшку!
Выходите-ка во широкий круг;
Кто побьёт кого, того царь наградит;
А кто будет побит, тому бог простит!»

И выходит удалой Кирибеевич,
Царю в пояс молча кланяется,
Скидаёт с могучих плеч шубу бархатную,
Подперши́ся в бок рукою правою,
Поправляет другой шапку алую,
Ожидает он себе противника...
Трижды громкий клич прокликали —
Ни один боец и не тронулся,
Лишь стоят да друг друга поталкивают.

На просторе опричник похаживает,
Над плохими бойцами подсмеивает:
«Присмирели, небойсь, призадумались!
Так и быть, обещаюсь*, для* праздника,
Отпущу живого с покаянием,*
Лишь потешу царя нашего батюшку».

Вдруг толпа раздалась* в обе стороны —
И выходит Степан Парамонович,
Молодой купец, удалой боец,
По прозванию Калашников.
Поклонился прежде царю грозному,
После белому Кремлю да святым церквам,
А потом всему народу русскому.
Горят очи его соколиные,
На опричника смотрят пристально.
Супротив* него он становится,
Боевые рукавицы натягивает,
Могутные* плечи распрямливает*
Да кудряву* бороду поглаживает.

И сказал ему Кирибеевич:

And the Tsar himself with his retinue,
His *oprichniks* all and his *boyars* came,
And he bade them stretch a long silver chain,
A long silver chain soldered fast with gold,
And to measure off on the river ice
A large open place for the sporting match.
Then the mighty Tsar Ivan Vassilyevich
Bade his heralds call out in ringing tones:
"Come ye forth, brave lads, come ye forth and fight
For to please the good Tsar, our father own!
Come ye forward, do, to the boxing ring;
Him who wins the match the Tsar will reward,
Him who loses it the Lord will forgive!"

'Thout a word Kiribeyevich now stepped forth,
Bowed he low to the Tsar and silently,
From his shoulders his velvet coat he flung,
His right hand on his hip he proudly placed,
With his hand his crimson hat set straight,
Stood he waiting so for a challenger....
Once, and twice, and thrice rang the heralds' cry,
But the fighting men, doughty fellows all,
Only nudged each other and never stirred.

Round the ring the *oprichnik* audacious walks,
To his rivals he calls disdainfully:
"Why so timid, ye men, why so thoughtful, say?
With your lives, ne'er you fear, I will let you off,
Give you time I will to repent your sins,
Only let us fight and amuse the Tsar."

Of a sudden the crowd it silent parts,
And the merchant Stepan Paramonovich
Of the name and house of Kalashnikov
Steps he boldly forth for all eyes to see.
First Stepan Paramonovich bows to the Tsar,
To the Kremlin then and its churches all,
To the Russian folk bows he afterward.
Like a falcon's eyes so his eyes they burn,
On the young *oprichnik* he rivets them,
And before him his stand takes loftily.
Now, he pulls on his gauntlets, his fighting gloves,
And his mighty shoulders he proudly squares,
And his curly beard strokes he languidly.

The *oprichnik* then spoke, and this he said:

3*

«А поведай мне, добрый молодец,
Ты какого роду-племени,
Каким именем прозываешься?
Чтобы знать, по ком панихиду * служить,
Чтобы было чем и похвастаться».

Отвечает Степан Парамонович:
«А зовут меня Степаном Калашниковым,
А родился я от честного отца,
И жил я по закону господнему:
Не позорил я чужой жены,
Не разбойничал ночью тёмною,
Не таился от свету небесного...
И промолвил ты правду истинную:
По одном из нас будут панихиду петь,
И не позже как завтра в час полуденный;
И один из нас будет хвастаться,
С удалыми друзьями пируючи...*
Не шутку шутить, не людей смешить
К тебе вышел я теперь, бусурманский сын,*—
Вышел я на страшный бой, на последний бой!»

И, услышав то, Кирибеевич
Побледнел в лице, как осенний снег;
Бойки * очи его затуманились,
Между сильных плеч пробежал мороз,
На раскрытых устах слово замерло...

Вот молча оба расходятся,—
Богатырский бой начинается.
Размахнулся тогда Кирибеевич
И ударил впервой * купца Калашникова,
И ударил его посередь * груди —
Затрещала грудь молодецкая,
Пошатнулся Степан Парамонович;
На груди его широкой висел медный крест
Со святыми мощами * из Киева,—
И погнулся крест и вдавился в грудь;
Как роса из-под него кровь закапала;
И подумал Степан Парамонович:
«Чему быть суждено, то и сбудется;
Постою за правду до последнева!»
Изловчился он, приготовился,
Собрался со всею силою
И ударил своего ненавистника
Прямо в левый висок со всего плеча.

68

"Tell me, valiant youth, of what house thou art
And what name is thine, speak and tell me plain,
For how otherwise will I know, my lad,
Over whom the priests are to chant their prayers,
And how I'm to boast of my victory."

And Stepan Paramonovich answered thus:
"By the name of Kalashnikov am I known,
'Twas an honest man that did father me,
By the Lord's commands have I ever lived:
Never brought disgrace on another's wife,
Never stalked, a thief, in the dark of night,
Never hid myself from the light of day....
Thou hast said a truthful word and just:
Over one of us will the priests they chant,
On the morrow, at noon, and no later, mind,
At a merry feast with his comrades bold,
One of us will boast of his victory.
Not in jest or sport, for the folk to watch,
Do I challenge thee, thou infidel's son,
But to wage a fight to the bitter end!"

At the merchant's speech, Kiribeyevich
Turned he nigh as grey as the snow of spring,
And his sparkling eye darkened all at once,
Down his mighty back ran a sudden chill,
On his parted lips froze his words, unsaid....

Now the rivals two, silent, moved apart,
'Thout another sound did the fight commence.

Kiribeyevich was the first to strike;
His gloved hand he waved and a crushing blow
Struck the merchant brave on his mighty chest.
And Stepan Paramonovich staggered and reeled;
On his breast there dangled a copper cross
With a relic from holy Kiev-town,
And this cross bit deep into his firm flesh,
And like dew the blood from beneath it dripped.
And he said to himself, said the merchant brave:
"What is fated to be is bound to be;
For the truth will I stand to the very end!"
And he steadied himself as he made to strike,
And he gathered his strength and with all his force
Fetched his hated rival a round-arm blow,
Hit him full he did on the side of the head.

И опричник молодой застонал слегка,
Закачался, упал замертво;
Повалился он на холодный снег,
На холодный снег, будто сосенка,
Будто сосенка, во сыром бору *
Под смолистый под корень * подрубленная.
И, увидев то, царь Иван Васильевич
Прогневался гневом, топнул о землю
И нахмурил брови чёрные;
Повелел он схватить удалова купца
И привесть * его пред лицо * своё.


Как возговорил * православный царь:
«Отвечай мне по правде, по совести,
Вольной волею * или нехотя *
Ты убил насмерть мово * верного слугу,
Мово лучшего бойца Кирибеевича?»


«Я скажу тебе, православный царь:
Я убил его вольной волею,
А за что, про что — не скажу тебе,
Скажу только богу единому.
Прикажи меня казнить — и на плаху * несть
Мне головушку повинную; *
Не оставь лишь малых детушек,
Не оставь молодую вдову
Да двух братьев моих своей милостью...»


«Хорошо тебе, детинушка, *
Удалой боец, сын купеческий,
Что ответ держал ты по совести.
Молодую жену и сирот твоих
Из казны моей я пожалую,
Твоим братьям велю от сего же дня
По всему царству русскому широкому
Торговать безданно, беспошлинно.
А ты сам ступай, детинушка,
На высокое место лобное,*
Сложи свою буйную головушку.*
Я топор велю наточить-навострить,*
Палача велю одеть-нарядить,
В большой колокол прикажу звонить,
Чтобы знали все люди московские,
Что и ты не оставлен моей милостью...»

And the young *oprichnik* he softly moaned,
And he swayed and dropped to the icy ground,
To the icy ground like a pine he fell,
Like a slender pine in a wintry grove
By an axe cut down at the very roots....
To the ground he fell, and he lay there, dead.
At this fearful sight was the Christian Tsar
Overcome by a blinding rage and fierce,
And he knit his brows, and he stamped his foot,
And he bade his men seize the merchant bold,
And to bring the knave 'fore his face at once.


Said the mighty Tsar Ivan Vassilyevich:
"Answer honestly, for I want the truth:
Was't with full intent or against thy will
Thou hast coldly slain my most trusted man,
My *oprichnik,* my Kiribeyevich?"


"I will tell thee true, o most righteous Tsar:
With intent have I slain thy trusted man;
But I'll tell thee not wherefore did I this,
To the Lord alone will I this disclose....
Have me put to death; bid me place my head
On the butcher's block for the axe to smite;
But I pray thee, Tsar, to my widowed wife
And my children dear show thou clemency,
To my brothers two be thou merciful."


"'Tis a right good thing, my brave lad and true,
And is well for thee, honest merchantman,
That so truthfully thou hast answered me.
To thy orphans young and thy widowed wife
From my treasury I'll allot a share,
And throughout the length and the breadth, my lad,
Of the Russian realm shall thy brothers two
From this day and on trade 'thout tithe or tax.
As for thee, brave heart, on the block shalt thou
Thy wild head lay down by the Tsar's command;
I will have the blade made keen and sharp,
I will have the headsman wear fine, rich dress,
The great bell for thee will I bid them ring
That all Moscow-town, all the folk might know
That thy Tsar to thee of his goodwill gave...."

Как на площади народ собирается,
Заунывный гудит-воет колокол,
Разглашает всюду весть недобрую.
По высокому месту лобному
Во рубахе красной с яркой запонкой,
С большим топором навострённыим,
Руки голые потираючи,
Палач весело похаживает,
Удалого бойца дожидается, —
А лихой боец, молодой купец,
Со родными братьями прощается:

«Уж вы, братцы мои, други * кровные,
Поцелуемтесь да обнимемтесь *
На последнее расставание.
Поклонитесь от меня Алёне Дмитревне,
Закажите * ей меньше печалиться,
Про меня * моим детушкам * не сказывать; *
Поклонитесь дому родительскому,
Поклонитесь всем нашим товарищам,
Помолитесь сами в церкви божией
Вы за душу мою, душу грешную!»

И казнили Степана Калашникова
Смертью лютою, позорною;
И головушка бесталанная *
Во крови на плаху покатилася.

Схоронили * его за Москвой-рекой,
На чистом поле * промеж трёх дорог:
Промеж Тульской, Рязанской, Владимирской,
И бугор земли сырой тут насыпали,
И кленовый крест тут поставили.
И гуляют-шумят ветры буйные
Над его безымянной могилкою.
И проходят мимо люди добрые:
Пройдёт стар человек — перекрестится,
Пройдёт молодец — приосанится,*
Пройдёт девица — пригорюнится,*
А пройдут гусляры — споют песенку.

* * *

Гей вы, ребята удалые,
Гусляры молодые,
Голоса заливные!
Красно начинали — красно * и кончайте,

To the market square the good townsfolk stream,
The bell's mournful knell o'er it, booming, floats,
Throughout Moscow-town evil tidings spreads.
On high ground the wooden scaffold rears;
In his scarlet blouse with its jeweled links
Does the headsman strut in front of the crowd
And await his victim right merrily.
His axe is well honed and made keen and sharp,
And he rubs his hands in open glee....
And the stouthearted merchant Kalashnikov
Bids his brothers farewell and embraces them.

"O my brothers own, dear are you to me!
Let me hold you close, let us now embrace,
For 'tis soon you and I will forever part....
Bow you low to my wife Alyona Dmitrevna,
Bow you low 'fore the house of our parents dear,
Bow you low to our friends and kinsmen all,
And then pray for me in the holy church,
For your brother pray and his sinful soul!"


And the merchant brave he was put to death,
'Twas a cruel death and a shameful one:
O'er him high the headsman raised his axe,
And his head rolled down from the bloody block.

Beyond Moskva Stream they buried him,
In the wide, open field where three roads meet:
To Tula, Ryazan and Vladimir towns;
O'er his grave a mound of damp earth they heaped,
And on that they set a maplewood cross,
And the boisterous winds cannot be stilled,
O'er his nameless grave they sing and play.
By the grave the good folk pass they do:
When an old man goes by, he crosses himself;
When a young man goes by, his shoulders he squares;
When a young maid goes by, she heaves a sigh;
When a minstrel goes by, he sings a song.

\* \* \*

Ho, ye brave lads and true,
The makers of song,
Ye whose voices ring merry and loud and strong!
You began right well, and so end you must;

Каждому правдою и честью воздайте.
Тороватому * боярину слава!
И красавице боярыне слава!
И всему народу христианскому слава!

# МЦЫРИ [1]

*Вкушая *, вкусих * мало мёда, и се *
аз * умираю [2].*

1-я Книга Царств.

## 1

Немного лет тому назад,
Там, где, сливаяся,* шумят,
Обнявшись *, будто две сестры,
Струи * Арагвы и Куры,*
Был монастырь. Из-за горы
И нынче видит пешеход
Столбы обрушенных ворот,*
И башни, и церковный свод;*
Но не курится * уж под ним
Кадильниц * благовонный * дым,
Не слышно пенье в поздний час
Молящих иноков * за нас.
Теперь один старик седой,
Развалин страж полуживой,*
Людьми и смертию * забыт,
Сметает пыль с могильных плит,
Которых надпись говорит *
О славе прошлой — и о том,
Как, удручён * своим венцом,*
Такой-то * царь, в такой-то год,*
Вручал России свой народ.*


И божья благодать * сошла
На Грузию! Она цвела
С тех пор в тени своих садов,
Не опасаяся * врагов,
За гранью дружеских штыков.*

___

[1] Мцыри — на грузинском языке значит «неслужащий монах», нечто вроде «послушника». (*Прим. М. Ю. Лермонтова.*)
[2] Отведав, вкусил мало мёда, и вот я умираю.

Sing in praise of the worthy, the honest and just!
  To the freehanded *boyar,* glory and fame!
  To his lovely lady, glory and fame!
  And to all Christian folk, fame and glory!

## MTSYRI

*I did but taste a little honey,
and, lo, I must die.*

The First Book of the Kings

### 1

Where merge *Aragva* and her twin,
*Kura,* and fast rush onward, in
Times past, a lonely cloister stood;
By fields, a dense and o'ergrown wood
Encircled 'twas.... A wayfarer,
Toiling uphill, will see what were
A gate and gateposts once and, too,
A church.... To-day, no incense to
Its round dome coils, nor do a prayer
The humble monks chant, hoarse-voiced, there.
Alone, forgot by death and men,
A bent old greybeard, denizen
Of these remote and desolate hills,
Over the ruins watches still
And daily wipes the dust that clings
To tombs, of which the letterings
Of glories past speak and of things
Of like note. Of a tsar one such
Tells who by his gold crown was much
Weighed down, and did of Russia gain
The patronage o'er his domain.

'Twas then God's love descended on
The land, and Georgia bloomed, and gone
Her old fears were and old suspense:
Of friendly bayonets a fence
Did, bristling, rise in her defence.

Однажды ру́сский генера́л
Из гор к Тифли́су * проезжа́л;
Ребёнка пле́нного он вёз *.
Тот занемо́г *, не перенёс
Трудо́в * далёкого пути́;
Он был, каза́лось, лет шести́; *
Как се́рна гор *, пугли́в и дик
И слаб и ги́бок, как тростни́к *.
Но в нём мучи́тельный неду́г *
Разви́л тогда́ могу́чий дух
Его́ отцо́в *. Без жа́лоб он
Томи́лся *, да́же сла́бый стон
Из де́тских губ не вылета́л,
Он зна́ком * пи́щу отверга́л
И ти́хо, го́рдо умира́л.
Из жа́лости оди́н мона́х
Больно́го при́зрел *, и в стена́х
Храни́тельных * оста́лся он,
Иску́сством * дру́жеским спасён.
Но, чужд ребя́ческих уте́х *,
Снача́ла бе́гал он от всех *,
Броди́л безмо́лвен *, одино́к,
Смотре́л, вздыха́я, на восто́к,
Томи́м нея́сною тоско́й
По стороне́ свое́й родно́й. *
Но по́сле * к пле́ну он привы́к,
Стал понима́ть чужо́й язы́к *,
Был окрещён * святы́м отцо́м *
И, с шу́мным све́том * незнако́м,
Уже́ хоте́л во цве́те лет *
Изре́чь мона́шеский обе́т, *
Как вдруг одна́жды он исче́з
Осе́нней но́чью. Тёмный лес
Тяну́лся * по гора́м круго́м.
Три дня все по́иски по нём *
Напра́сны бы́ли, но пото́м
Его́ в степи́ без чу́вств нашли́
И вновь в оби́тель * принесли́.
Он стра́шно * бле́ден был и худ
И слаб, как бу́дто до́лгий труд, *
Боле́знь иль го́лод испыта́л. *
Он на допро́с * не отвеча́л
И с ка́ждым днём приме́тно * вял *.
И бли́зок стал его́ коне́ц; *

A Russian General on his
Way one day was, bound for Tiflís,
A captive bearing there, a child
Of six or so. As shy and wild
The lad was as a chamois and
Thin as a reed. Ill could he stand
The rigours of the journey, as
Soon became evident, and was
By fever stricken. But no plea
Or moan escaped him, sick as he
Endured and weak: his fathers' free,
Proud spirit had from babyhood
His own been.... Offered drink and food,
He touched them not, and day by day
Was wasting visibly away.
A monk did see and take him in
And minister to him. Within
The cloister walls the lad remained,
And, by the monk's art healed, regained
His former strength. In childish play
Indulged he not; it was his way
To keep from all aloof and roam
The grounds alone.... For his old home
He pined, and oft was seen to gaze
Eastward and sigh.... But as the days
And years wore on, accustomed to
Captivity he slowly grew,
Was in due time baptized, and sought,
Unknowing of the world and taught
Little about it, to become
A monk.... Then one dark evening, from
His cell he vanished. Cloaked by haze
The forest was. For three long days
They searched in vain, and only found
Him on the fourth: stretched on the ground
He senseless lay, the grassy plain
His body cradling. Back again
They bore him to the cloister. Pale
And weak he was, like one whose frail
Frame had a dire disease survived
Or hunger, and seemed nigh deprived
Of tongue.... Death hovered near him, fate
Had willed it so. To remonstrate
With him the monk, his saviour, came....

Тогда пришёл к нему чернец *
С увещеваньем * и мольбой; *
И, гордо выслушав, больной
Привстал *, собрав остаток сил,
И долго так он говорил:


### 3

«Ты слушать исповедь * мою
Сюда пришёл, благодарю.
Всё лучше * перед кем-нибудь
Словами облегчить мне грудь; *
Но людям я не делал зла,
И потому мой дела
Немного пользы вам узнать,—
А душу можно ль рассказать? *
Я мало жил, и жил в плену.
Таких две жизни за одну,
Но только полную тревог,
Я променял бы, если б мог.
Я знал одной лишь думы власть,
Одну — но пламенную страсть:
Она, как червь, во мне жила,
Изгрызла душу и сожгла.
Она мечты мои звала
От келий * душных и молитв
В тот чудный * мир тревог и битв *,
Где в тучах прячутся скалы *,
Где люди вольны, как орлы.
Я эту страсть во тьме ночной
Вскормил слезами и тоской;
Её пред * небом и землёй
Я ныне громко признаю
И о прощенье не молю.

### 4

Старик! я слышал много раз,
Что ты меня от смерти спас —
Зачем?.. Угрюм * и одинок,
Грозой оторванный листок,
Я вырос в сумрачных * стенах
Душой дитя *, судьбой монах.
Я никому не мог сказать
Священных слов: «отец» и «мать».
Конечно, ты хотел, старик,

The sick man, who had speechless lain
Upon his bed, his waning strength
Now summoned and spoke up at length.

### 3

"I thank you, friend, for coming to
Hear my confession.... Aye, 'tis true
That to give utterance to my pain
Will ease it.... But you'll little gain
Of benefit from what I can
Relate to you. I harmed no man,
And for the rest—can one pour out
One's heart?... Nay, old one, this I doubt.
A captive's life has my life been
And brief.... Two such lives, calm if mean,
Would I exchange, if but I could,
For one, of risk, disquietude
And peril full.... As I recall,
One passion held me e'er in thrall;
It worm-like gnawed at me at first,
Then into flames devouring burst
And all of me consumed.... From prayer
And stifling cell to regions fair
Borne by my dreams was I, of strife
A wondrous world, where soaring cliff
Is hid by cloud, and men are free
As eagles.... Fed by misery
And tears my passion was, this now
'Fore earth and Heaven I avow!...
Yet I—to this, pray, give you heed—
For absolution do not plead.

### 4

"'Twas you, old man, who saved, I know,
My life, the others told me so.
Why did you this? A small leaf, torn
By tempest from its branch, forlorn,
I lived behind these walls of gloom.
At heart a child, I had become
A cenobite at fate's command.
What man could I call father, and
What woman mother?... That forget

Чтоб я в обители отвык
От этих сладостных имён, —
Напрасно: звук их был рождён
Со мной. Я видел у других
Отчизну, дом, друзей, родных,
А у себя не находил
Не только милых душ — могил!
Тогда, пустых * не тратя слёз,
В душе я клятву произнёс:
Хотя на миг когда-нибудь
Мою пылающую грудь
Прижать с тоской к груди другой,
Хоть незнакомой, но родной.
Увы! теперь мечтанья те
Погибли в полной красоте,
И я, как жил, в земле чужой
Умру рабом и сиротой.

## 5

Меня могила не страшит:
Там, говорят, страданье спит
В холодной вечной тишине;
Но с жизнью жаль расстаться мне.
Я молод, молод... Знал ли ты
Разгульной * юности мечты?
Или не знал, или забыл,
Как ненавидел и любил;
Как сердце билося живей
При виде солнца и полей
С высокой башни угловой *,
Где воздух свеж и где порой *
В глубокой скважине * стены,
Дитя неведомой страны,
Прижавшись, голубь молодой
Сидит, испуганный грозой?
Пускай теперь прекрасный свет
Тебе постыл: * ты слаб, ты сед,
И от желаний ты отвык.
Что за нужда? * Ты жил, старик!
Тебе есть в мире что забыть,
Ты жил, — я также мог бы жить!

I would those two sweet words you'd let
Yourself believe.... Vain hope! The sound
Of them with me was born, and hound
My heart they did.... Of all that here
Dwelt, I alone no home, no dear
Friend, no relation, nay, not e'en
A loved grave had! I could but dream
Of them and childlike long to cry...
But tears—what use were they? And I
Vowed that the day would dawn when to
My breast, content, I'd clasp one who,
Though but a stranger and unknown
To me and mine, hailed from yon lone
And distant range, the hills that gave
Me birth.... Alas, my friend, a slave
In alien parts, unloved, have I
Lived, and a slave am meant to die!...

5

"The grave I fear not: in its cold
And silent depths, grief, we are told,
And suffering sleep.... 'Tis that my heart
Is wrung with pain at thought that part
With life I must.... I'm young, do not
You see it? Young!... Have you forgot
Or never known youth's dreams? Have you
Not loved, not hated? Has the view
Of sunlit fields gained from the top
Of yonder tower ne'er made you stop
In breathless wonder? Have you ne'er
In avid thirst drunk of the air
That is so fragrant there, above,
And fresh? Have you not watched a dove
Cower in a crevice in the wall
During a storm?... Yet though to all
The beauty of the world you have
Blind in your old age grown, and crave
None of its sweet delights and rare—
What matter!—In your past there are
Things to forget—a happy lot!...
Aye, you have lived, and I have not.

## 6

Ты хо́чешь знать, что ви́дел я
На во́ле? *— Пы́шные поля́,
Холмы́, покры́тые венцо́м
Дере́в *, разро́сшихся круго́м *,
Шумя́щих све́жею толпо́й,
Как бра́тья в пля́ске кругово́й.
Я ви́дел гру́ды * тёмных скал,
Когда́ пото́к * их разделя́л,
И ду́мы их я угада́л:
Мне бы́ло свы́ше то дано́!
Просте́рты в во́здухе давно́
Объя́тья * ка́менные их,
И жа́ждут * встре́чи ка́ждый миг;
Но дни бегу́т, бегу́т года́,
Им не сойти́ться * никогда́!
Я ви́дел го́рные хребты́,
Причу́дливые, как мечты́,
Когда́ в час у́тренней зари́
Кури́лися, как алтари́,
Их вы́си * в не́бе голубо́м,
И о́блачко за облачко́м *,
Поки́нув та́йный свой ночле́г,
К восто́ку направля́ло бег *—
Как бу́дто бе́лый карава́н *
Залётных * птиц из да́льних стран!
Вдали́ я ви́дел сквозь тума́н,
В снега́х, горя́щих *, как алма́з,
Седо́й, незы́блемый * Кавка́з;
И бы́ло се́рдцу моему́
Легко́, не зна́ю почему́.
Мне та́йный го́лос говори́л,
Что не́когда * и я там жил,
И ста́ло в па́мяти мое́й
Проше́дшее ясне́й, ясне́й...

## 7

И вспо́мнил я отцо́вский дом,
Уще́лье * на́ше и круго́м
В тени́ рассы́панный * аул; *
Мне слы́шался * вече́рний гул
Домо́й бегу́щих табуно́в *
И да́льний лай знако́мых псов.
Я по́мнил сму́глых * старико́в,

"Shall I describe what I did see
While wandering, of my chains free,
Beyond these walls?—Lush fields and leas,
Hills garlanded and crowned with trees
That moved like dancers in a ring
Around the slopes, and, too, a string,
A mass of hulking rocks cleft by
Swift streams and torrents.... Their thoughts I
Divined, by Heaven so to do
'Twas given me from birth.... I knew,
Watching their stone hands scratch the air,
How fervently, with what despair
These giants did in close embrace
Long to be locked!... Alas! The days
And, too, the years rush, fleeting, past
And bring them closer not.... Aghast,
Entranced at sight of mountains as
Strange as are dreams, I stood.... The rays
Of dawn their peaks touched.... To the skies
Like smoking altars they did rise,
And o'er them, high above the ground,
The clouds sailed swiftly, eastward bound,
Their hidden shelter of the night
Abandoning fore'er.... A flight
Of birds, a feathered caravan
Resembled they.... Ahead began
The Caucasus.... Skyward they rose,
Immovable, in glittering snows
As bright as diamonds clad.... Rejoice!
That is your home, a secret voice
Said, and at once my spirits soared—
It was as if some hidden chord
Had touched been, for the past anew
Was born and ever clearer grew.


7


"My father's house recall I did,
And, in a shady canyon hid,
Our village.... Once again I heard
The sound of hoofs and saw a herd
Of horses at the fall of dark
Race home.... A dog began to bark,
Another joined it.... Strangely clear

При свете лунных вечеров
Против отцовского крыльца
Сидевших с важностью лица;
И блеск оправленных * ножон *
Кинжалов длинных... и как сон
Всё это смутной чередой *
Вдруг пробегало предо мной.
А мой отец? Он как живой
В своей одежде боевой
Являлся мне, и помнил я
Кольчуги * звон, и блеск ружья,
И гордый непреклонный взор,
И молодых моих сестёр...
Лучи их сладостных очей
И звук их песен и речей
Над колыбелию * моей...
В ущелье там бежал поток,
Он шумен был, но неглубок;
К нему, на золотой песок,
Играть я в полдень уходил
И взором ласточек следил *,
Когда они перед дождём
Волны касалися крылом.
И вспомнил я наш мирный дом
И пред вечерним очагом *
Рассказы долгие о том,
Как жили люди прежних дней,
Когда был мир ещё пышней.

8

Ты хочешь знать, что делал я
На воле? Жил — и жизнь моя
Без этих трёх блаженных * дней
Была б печальней и мрачней
Бессильной старости твоей.
Давным-давно * задумал я
Взглянуть на дальние поля,
Узнать, прекрасна ли земля,
Узнать, для воли иль тюрьмы
На этот свет * родимся мы.
И в час ночной, ужасный час,
Когда гроза пугала вас,
Когда, столпясь при алтаре,
Вы ниц * лежали на земле,
Я убежал. О, я как брат

All these sounds were.... The oldsters near
Our porch sat, bronze-faced, dignified,
Full of a kind of inbred pride
And lordliness.... Their daggers shone
And, too, their scabbards as upon
Them fell the moon's pale, steady beam....
These homely scenes as in a dream
Before me passed.... There, near me, stood
My father as from babyhood
I had remembered him, a proud,
Stern-featured man.... I heard the loud
Clanging of metal and did see
Him touch his gin.... My sisters three
Recalled I, too.... How tenderly
For me they cared, with what love rang
Their voices as to me they sang!...
Beside our house a stream did flow;
It was not deep, and I would go
At midday there, and on the sand
Lie idly, or play games, or stand
And watch a swallow with its wing
The water graze and promise bring
Of rain.... And oh, the nights when we
Would by the hearth sit quietly
And listen to long stories told
Of how men lived in times of old,
In a long past, a faraway
But richer and more sumptuous day.

8

"Know you how my three days I spent
Of freedom?.... Truly Heaven-sent
Were they.... I lived! And my life would
'Thout them have sadder been, my good
Friend, than your helpless old age is.
I had long yearned (and in this wise
To yearn is anguish) for a sight
Of distant fields.... Lured by earth's bright
Beauty I was, and longed to see
If born for dark captivity
We mortals were, or freedom.... Then,
One night, during a rainstorm, when
The rest of you did prostrate lie
In fear beside the altar, I
Fled.... Like a brother to my breast

Обняться с бурей был бы рад!
Глазами тучи я следил *,
Рукою молнии ловил...
Скажи мне, что средь этих стен
Могли бы дать вы мне взамен *
Той дружбы краткой, но живой
Меж бурным сердцем и грозой?..

9

Бежал я долго — где, куда?
Не знаю! ни одна звезда
Не озаряла трудный путь.
Мне было весело вдохнуть
В мою измученную грудь
Ночную свежесть тех лесов,
И только! Много я часов
Бежал и наконец, устав,
Прилёг между высоких трав;
Прислушался: погони * нет.
Гроза утихла. Бледный свет
Тянулся длинной полосой
Меж тёмным небом и землёй,
И различал я, как узор,
На ней зубцы * далёких гор;
Недвижим *, молча я лежал,
Порой * в ущелии шакал *
Кричал и плакал, как дитя,
И, гладкой чешуёй * блестя,
Змея скользила меж камней;
Но страх не сжал души моей:
Я сам, как зверь, был чужд людей
И полз и прятался, как змей.

10

Внизу глубоко * подо мной
Поток, усиленный грозой,
Шумел, и шум его глухой
Сердитых сотне голосов *
Подобился *. Хотя без слов,
Мне внятен * был тот разговор,
Немолчный ропот *, вечный спор
С упрямой грудою * камней.
То вдруг стихал он, то сильней
Он раздавался в тишине;

The mighty storm I would have pressed!...
With greedy eye the clouds I sought,
And in my hand the lightning caught....
Say, what could these walls, dark with age,
Give me, a captive, in exchange
For that brief friendship, brief yet warm,
That bound my heart to raging storm?...

## 9

"I ran 'thout rest—where, I knew not,
No star was out.... But, oh, with what
Delight I breathed of night's fresh air
And drank it in.... I was aware
Of little else but that the care
That had, a burden, lain upon
My heart, had lifted and was gone....
On, on I ran.... Hours must have passed
Before upon the grass at last
I fell, quite spent.... None had my trail
Picked up.... The storm was o'er.... A pale
Ribbon of light 'twixt dark earth lay
And darker sky.... Against it, grey,
The jagged peaks of mountains could
Be seen.... I never moved.... The wood
And all in it was hushed and still;
From the ravine a jackal's shrill
Cry came that did an infant's seem
To imitate; the dullish gleam
I caught of scales as past me slid
A snake.... I felt no fear, for did
I not myself from human sight,
A beast, hide in the dark of night!

## 10

"I heard a stream rush down below;
The rains had fed it, and its low
Accents were fierce. It was as though
A hundred voices in dispute
At once were raised. I listened, mute....
That blurred and wordless speech to me
Was clear enough: impatiently
The stream the stubborn stones addressed
That barred its path, and, angry, pressed
Them to make way. The argument

И вот, в тума́нной вышине́
Запе́ли пти́чки, и восто́к
Озолоти́лся; * ветеро́к
Сыры́е шевельну́л листы́; *
Дохну́ли * со́нные цветы́,
И, как ,они́, навстре́чу дню
Я по́днял го́лову мою́...
Я осмотре́лся; не таю́: *
Мне ста́ло стра́шно; на краю́
Грозя́щей бе́здны * я лежа́л,
Где выл, крутя́сь, серди́тый вал *;
Туда́ вели́ ступе́ни скал;
Но лишь злой дух по ни́м шага́л,
Когда́, низве́рженный * с небе́с,
В подзе́мной про́пасти исче́з.

11

Круго́м меня́ цвёл бо́жий сад;
Расте́ний ра́дужный * наря́д
Храни́л следы́ небе́сных слёз,
И ку́дри виногра́дных лоз
Вили́сь, красу́ясь меж дере́в *
Прозра́чной зе́ленью листо́в;
И гро́зды * по́лные на ни́х,
Серёг подо́бье дороги́х,*
Висе́ли пы́шно, и поро́й
К ним птиц лета́л пугли́вый рой.*
И сно́ва я к земле́ припа́л *
И сно́ва вслу́шиваться стал
К волше́бным, стра́нным голоса́м; *
Они́ шепта́лись по куста́м *,
Как бу́дто речь свою́ вели́ *
О та́йнах не́ба и земли́;
И все приро́ды голоса́
Слива́лись * тут; не разда́лся *
В торже́ственный хвале́нья час
Лишь челове́ка го́рдый глас.*
Всё, что я чу́вствовал тогда́,
Те ду́мы — им уж нет следа́;
Но я б жела́л их рассказа́ть,
Чтоб жить, хоть мы́сленно, опя́ть.
В то у́тро был небе́сный свод
Так чист, что а́нгела полёт
Приле́жный * взор следи́ть бы мог;
Он так прозра́чно был глубо́к,

Went ceaseless on; 'twas vehement
And stormy; now it louder grew,
Now less loud; in the misty blue
Above the birds sang, and the wind
The damp leaves stirred; its touch was kind
But woke the flowers; I, too, like they,
In welcome to the newborn day
My head raised. Close to an abyss
I now saw that I lay, and this
Put fear in me.... The stream did roar
And seethe below.... Down to its shore
Great, massive steps of grey stone led;
Here Satan had with halting tread
Walked down them when he'd banished been
To hell's dim depths, its dark demesne.

11

"Round me was paradise: the trees
Were brightly decked; of Heavenly tears
Their vivid garments bore the trace;
Grapevines embraced them, fine green lace
Resembling closely; here and there,
Like costly earrings made of rare
And lovely gems, great clusters of
Grapes hung, and on the boughs above
Perched birds; in flocks descended they
Upon the fruit, flew fast away,
Came back.... On to the ground anew
I sank and listened spellbound to
The strange and magic whispering
That filled the air and seemed to bring
To light the secrets of the sky
And of the earth; each breath and sigh,
All of the many voices clear
Of Nature, merging, reached my ear,
There, in her grand and beauteous bower,
But man's proud voice.... In that great hour
Of praise 'twas still.... What I felt then
I cannot ever feel again,
But when I speak of it I live,
If only in my thoughts.... Pray, give
Ear to my tale.... So clear and bright
The dome was that an angel's flight
Could easily perceived have been
By patient eye.... Ne'er had I seen

89

Так по́лон ро́вной синево́й!
Я в нём глаза́ми и душо́й
Тону́л, пока́ полдне́вный зной
Мои́ мечты́ не разогна́л,
И жа́ждой я томи́ться * стал.

## 12

Тогда́ к пото́ку с высоты́,
Держа́сь за ги́бкие кусты́,
С плиты́ на пли́ту * я, как мог,
Спуска́ться на́чал. Из-под ног
Сорва́вшись, ка́мень иногда́
Кати́лся вниз — за ни́м бразда́ *
Дыми́лась *, прах * вился́ * столбо́м;
Гудя́ и пры́гая, пото́м
Он поглоща́ем был волно́й;
И я висе́л над глубино́й,
Но ю́ность во́льная сильна́,
И смерть каза́лась не страшна́!
Лишь то́лько я с круты́х высо́т
Спусти́лся, све́жесть го́рных вод
Пове́яла навстре́чу мне,
И жа́дно я припа́л к волне́ *.
Вдруг — го́лос — лёгкий шум шаго́в...
Мгнове́нно скры́вшись меж кусто́в,
Нево́льным тре́петом * объя́т,
Я по́днял боязли́вый * взгляд
И жа́дно вслу́шиваться стал:
И бли́же, бли́же всё * звуча́л
Грузи́нки го́лос молодо́й,
Так безыску́сственно * живо́й,
Так сла́дко во́льный, бу́дто он
Лишь зву́ки дру́жеских имён
Произноси́ть был приучён *.
Проста́я пе́сня то была́,
Но в мысль она́ мне залегла́ *,
И мне, лишь су́мрак настаёт,
Незри́мый дух её поёт.

## 13

Держа́ кувши́н над голово́й,
Грузи́нка у́зкою тропо́й
Сходи́ла к бе́регу. Поро́й
Она́ скользи́ла * меж камне́й,

Such lucid skies, such a serene
And perfect blue! My heart and gaze
It lured... Came noon: the sun's hot blaze,
Its brilliant ray at once dispersed
My dreams and brought a lingering thirst.

## 12

"Wanting to reach the stream that ran
Roaring below, I now began
My steep descent. From ledge I crept
To rocky ledge, by bushes kept,
At which I clutched, from falling; my
Foot would a stone dislodge, and I
Would watch it downward roll, a cloud
Of dust behind it raising. Loud
Its booms were as it, leaping, went
Down, down, the surging billows rent,
And was engulfed.... Fearless, I hung
Above the chasm—when one is young
And free, one's apt to laugh at death!...
The bottom gained, I felt the breath
Of mountain waters come to me,
And, o'er them kneeling, greedily
Drank... At the sound of footsteps light,
A voice in song raised, out of sight,
Behind a bush I hid, and there
Grouched in some fear. I did not dare
Look out, but that song my ear drew
And avidly I listened to
Its simple strains.... A soft caress
The Georgian maid's voice held, and yes,
A freedom and an artlessness,
As if it had been taught to speak
Naught but the names of friends.... Though weak
And ill I lie here, by its sound
Entranced am I and held spellbound.
When dusk steals nigh on silent wings,
To me that song a spirit sings.

## 13

"Along a narrow path that led
Down to the shore, above her head
A jug held high, the Georgian lass
Her way was slowly making. As

Смеясь неловкости * своей.
И беден был её наряд; *
И шла она легко, назад
Изгибы длинные чадры *
Откинув. Летние жары *
Покрыли тенью золотой
Лицо и грудь её; и зной
Дышал от уст * её и щёк.
И мрак очей * был так глубок,
Так полон тайнами любви,
Что думы пылкие мои
Смутились. Помню только я
Кувшина звон,— когда струя
Вливалась медленно в него,
И шорох... больше ничего.
Когда же я очнулся вновь
И отлила от сердца кровь,
Она была уж далеко;
И шла, хоть тише,— но легко,
Стройна под ношею своей,
Как тополь, царь её полей!
Недалеко, в прохладной мгле,
Казалось, приросли к скале
Две сакли * дружною четой; *
Над плоской кровлею * одной
Дымок струился * голубой.
Я вижу будто бы теперь,
Как отперлась * тихонько дверь...
И затворилася * опять!..
Тебе, я знаю, не понять
Мою тоску, мою печаль;
И если б мог,— мне было б жаль:
Воспоминанья тех минут
Во мне, со мной пускай умрут.

### 14

Трудами ночи изнурён *,
Я лёг в тени. Отрадный * сон
Сомкнул глаза невольно мне...*
И снова видел я во сне
Грузинки образ молодой.
И странной *, сладкою тоской
Опять моя заныла * грудь.
Я долго силился * вздохнуть —
И пробудился *. Уж * луна

I watched, a slippery stone betrayed
Her cautious foot: she stumbled, swayed,
Laughed at herself and haltingly
Walked on.... Her clothes were poor, but she
Had pushed her veil back, and the rays
Of sun had gold shades on her face
And bosom traced; a warmth, a glow
Came from her lips and cheeks, and so
Deep and bewitching was her eye,
So full of love's sweet mystery,
Its secrets, that my heart and mind
Were set aflame, and I turned blind
To all about me.... Nothing now
Can I at all recall save how
The water, gurgling, flowed into
The tilted jug, and one or two
Like things.... When I my senses had
Regained at last, from me the maid
Was far.... The jug's forbidding weight
Seemed not to burden her; as straight
And graceful as the poplar-tree,
Queen of yon flowering fields, was she!...
I watched her slowly walk away....
Up in the hills two huts of clay
Like two fond mates perched side by side;
Glued to the rock they were and hid
In part by haze.... Smoke curled up o'er
A low, flat roof.... I saw a door
Glide open, then as softly shut....
You know not how I suffered, but
'Tis better so, 'tis for the best—
With me those simple scenes will rest,
With me, this will I not deny,
I want my memories to die.


14


"Worn by the labours of the past
Night, I lay down, and sleep did cast
O'er me its spell and my eyes close,
And 'fore me, in my dreams, there rose
The maid, the Georgian maid.... The same
Sweet ache was back, to my heart claim
It laid anew.... To wake I strove—
And did at last. High up above
The half-moon sailed; still numb with sleep,

Вверху́ сия́ла, и одна́
Лишь ту́чка кра́лася * за не́й,
Как за добы́чею свое́й,
Объя́тья жа́дные раскры́в.
Мир тёмен был и молчали́в; *
Лишь серебри́стой бахромо́й *
Верши́ны це́пи снегово́й
Вдали́ сверка́ли предо мно́й
Да в берега́ плеска́л пото́к.
В знако́мой са́кле огонёк
То трепета́л *, то сно́ва гас:
На небеса́х в полно́чный час
Так га́снет я́ркая звезда́!
Хоте́лось мне... но я туда́
Взойти́ * не сме́л *. Я цель одну́ —
Пройти́ в роди́мую страну́ —
Име́л в душе́ и превозмо́г *
Страда́нье го́лода, как мог.
И вот доро́гою прямо́й
Пусти́лся, ро́бкий и немо́й *.
Но ско́ро в глубине́ лесно́й
Из ви́ду го́ры потеря́л *
И тут с пути́ сбива́ться стал *.

15

Напра́сно в бе́шенстве поро́й
Я рвал отча́янной руко́й *
Терно́вник *, спу́танный плющо́м: *
Всё лес был *, ве́чный лес круго́м,
Страшне́й и гу́ще * ка́ждый час;
И миллио́ном чёрных глаз
Смотре́ла но́чи темнота́
Сквозь ве́тви ка́ждого куста́...
Моя́ кружи́лась голова́; *
Я стал влеза́ть на дерева́; *
Но да́же на краю́ небе́с
Всё то́т же был зубча́тый лес.
Тогда́ на зе́млю я упа́л;
И в исступле́нии * рыда́л,
И грыз сыру́ю грудь земли́,
И слёзы, слёзы потекли́
В неё горю́чею * росо́й...
Но, верь мне, по́мощи людско́й
Я не жела́л... Я был чужо́й
Для ни́х наве́к, как зверь степно́й;

94

I watched a cloud behind it creep
And stalk it greedily, as though
The crescent were its prey.... The glow
Of moon could not the dark dispel,
The world was silent: no sound fell
Upon the ear but for the shy
Plash of the waves.... Against the sky
The mountains showed: proud they displayed
Their silver fringe.... A small light played,
A star of night resembling, in
One of the huts, whose shapes, though dim,
Were visible; now bright it burned,
Now of a sudden died.... I yearned
To climb the path that, winding, led
Up to the hut, but took instead
Another, that toward the wood
Ran.... I was famished, but of food
Refused to think. With my heart whole
My land I longed to find, a goal
That changeless stayed.... Tireless I strode
Past towering trees, but off the road
Strayed, and, in time, to my dismay,
Discovered that I'd lost my way.

### 15

"Seized by a kind of mad despair,
I would at moments stop and tear
At thorny shrubs and bushes which
With ivy leaves were twined. The rich,
Luxuriant forest round me spread,
Grew at each step more dense.... With dread,
A fear unknown but infinite,
My soul filled, for the eyes of night,
A million hungry eyes, at me
From every side stared wrathfully!...
My poor head swam.... I climbed a tree,
Another: nigh to heaven's end
The wood stretched and did, sombre, send
Its toothy shadows over all....
On to the dark grass I did fall
And gnaw at earth's wet breast, and sear,
And scorch, and burn it with my tears,
Those blazing drops of dew.... And yet
I scorned man's help, and did not let
Myself call out.... Had from me wrung

И если б хоть минутный крик
Мне изменил — клянусь, старик,
Я б вырвал слабый мой язык.

## 16

Ты помнишь детские года:
Слезы не знал я* никогда;
Но тут я плакал без стыда.
Кто видеть мог? Лишь тёмный лес
Да месяц*, плывший средь небес!
Озарена его лучом,
Покрыта мохом и песком,
Непроницаемой стеной*
Окружена, передо мной
Была поляна. Вдруг по ней*
Мелькнула тень, и двух огней
Промчались искры... и потом
Какой-то зверь одним прыжком
Из чащи* выскочил и лёг,
Играя, навзничь* на песок.
То был пустыни вечный гость —
Могучий барс.* Сырую кость
Он грыз и весело визжал;
То взор кровавый устремлял,
Мотая* ласково хвостом,
На полный месяц,— и на нём
Шерсть отливалась серебром.*
Я ждал, схватив рогатый сук,
Минуту битвы; сердце вдруг
Зажглося жаждою борьбы
И крови... да, рука судьбы
Меня вела иным путём...
Но нынче я уверен в том,
Что быть бы мог в краю отцов
Не из последних удальцов.

## 17

Я ждал. И вот в тени ночной
Врага почуял* он, и вой
Протяжный, жалобный, как стон,
Раздался вдруг... и начал он
Сердито лапой рыть песок,
Встал на дыбы,* потом прилёг,
И первый бешеный скачок

A single cry been, this my tongue,
My feeble tongue, of pity shorn,
From out my mouth I would have torn!

## 16

"Do you recall?—In my young years
I never cried. But now the tears
Poured freely from my eyes: alone
The forest saw them and the moon
That drifted slowly overhead....
Upon a glade that carpeted
With moss and sand was, fell its light....
Thick walls of forest and of night
The glade fenced in. A shadow o'er
It darted suddenly. Before
My startled gaze two lights glowed, and
A huge beast leapt onto the sand.
It was a leopard, dweller of
The wilderness.... From out the grove
Emerging thus, he started to
Roll playfully about, and chew,
With growls that almost gay of tone
Seemed, at a juicy piece of bone
He had with him.... His long, sleek tail
The beast was wagging, and the pale
Ray of the half-moon gave the sheen
Of silver to his coat.... Unseen
By him as yet, a spiky bough
I snatched up, and not knowing how
Soon we would clash, athirst for blood,
Did wait for him to spring, my mood
One of exultancy.... Had fate
Not interfered—I hesitate
To say it not — a hero in
My fathers' land I would have been!

## 17

"I waited, and the beast aware
Becoming of my presence there,
Howled, aye, let out a pitiful,
Long-drawn-out wail, of anger full,
Clawed at the sand, then on his hind
Legs for a moment rose, in blind
Fury crouched down.... His first wild leap

97

Мне страшной смертию грозил...
Но я его предупредил.*
Удар мой верен был и скор.
Надёжный сук мой, как топор,
Широкий лоб его рассёк...
Он застонал, как человек,
И опрокинулся. Но вновь,
Хотя лила из раны кровь
Густой, широкою волной,
Бой закипел, смертельный бой!

## 18

Ко мне он кинулся на грудь;
Но в горло я успел воткнуть
И там два раза повернуть
Моё оружье... Он завыл,
Рванулся из последних сил,
И мы, сплетясь, как пара змей,
Обнявшись крепче двух друзей,
Упали разом, и во мгле
Бой продолжался на земле.
И я был страшен в этот миг;
Как барс пустынный, зол и дик,
Я пламенел, визжал, как он;
Как будто сам я был рождён
В семействе барсов и волков
Под свежим пологом лесов.*
Казалось, что слова людей
Забыл я — и в груди моей
Родился тот ужасный крик,
Как будто с детства мой язык
К иному звуку не привык...
Но враг мой стал изнемогать,*
Метаться, медленней дышать,
Сдавил меня в последний раз...
Зрачки его недвижных * глаз
Блеснули грозно — и потом
Закрылись тихо вечным сном;
Но с торжествующим врагом
Он встретил смерть лицом к лицу,
Как в битве следует бойцу!..

Might death have spelt—but I did keep
Cool and struck first! Swift was my blow
And sure. The blood began to flow
From his cleft brow.... He gave a low
Moan that was like a man's moan, and
Recoiled and fell.... I watched him land
Upon his side.... The blood did pour
Fast from his wound, and yet once more
The leopard pounced, by pain enraged,
And, hot and fierce, our battle raged!

18

"Before his claws my breast could rip,
My bough I did more firmly grip,
And, plunging it in his throat, twice
The weapon twisted. Loud rang his
Howl o'er the wood. He gave a bound,
And, like two friends their arms around
Each other, or two serpents wound
Into a ball, over the cold,
Dew-sprinkled moss and grass we rolled....
An untamed beast, as wild as my
Foe was I then; his savage cry,
His snarls were echoed by my own.
It was as if I'd only known
Of leopards and of wolves the ways,
Their company, and all my days
Had in the forest spent among
Its dwellers, and the human tongue
Forgot.... Within me, deep, was born
The terrifying and forlorn
Call of the wounded beast, and I
No other sound could utter, why
I cannot say.... Meanwhile, my foe
Was tiring, and his breath grew slow
And laboured.... All at once his hold
On me he tightened, then his gold
Eyes spark-like flashed and closed fore'er....
Yet, this am I prepared to swear:
That death had he in my embrace
Met like a soldier, face to face!...

Ты ви́дишь на груди́ мое́й
Следы́ глубо́кие когте́й;
Ещё они́ не заросли́*
И не закры́лись; но земли́
Сыро́й покро́в их освежи́т
И смерть наве́ки заживи́т.*
О ни́х тогда́ я позабы́л,
И, вновь собра́в оста́ток сил,
Побрёл* я в глубине́ лесно́й...
Но тще́тно* спо́рил я с судьбо́й:
Она́ смея́лась надо мно́й!

Я вы́шел и́з лесу. И вот
Просну́лся день, и хорово́д
Свети́л напу́тственных* исче́з
В его́ луча́х. Тума́нный лес
Заговори́л. Вдали́ ау́л
Кури́ться на́чал.* Сму́тный гул
В доли́не с ве́тром пробежа́л...
Я сел и вслу́шиваться стал;
Но смолк он вме́сте с ветерко́м.
И ки́нул взо́ры я круго́м:
Тот край, каза́лось, мне знако́м.
И стра́шно бы́ло мне, поня́ть
Не мо́г я до́лго, что опя́ть
Верну́лся я к тюрьме́ мое́й;
Что бесполе́зно сто́лько дней
Я та́йный за́мысел ласка́л,
Терпе́л, томи́лся и страда́л,
И всё заче́м?.. Чтоб в цве́те лет,
Едва́ взгляну́в на бо́жий свет,
При зву́чном ро́поте дубра́в*
Блаже́нство* во́льности позна́в,
Уне́сть* в моги́лу за собо́й
Тоску́ по ро́дине свято́й,
Наде́жд обма́нутых уко́р
И ва́шей жа́лости позо́р!..*
Ещё в сомне́нье погружён,
Я ду́мал — э́то стра́шный сон...
Вдруг да́льний ко́локола звон
Разда́лся сно́ва в тишине́ —
И тут всё я́сно ста́ло мне...

"Behold—his sharp claws on my breast
Have left their mark, and well impressed
Is't on the skin.... No scars conceal
The ugly prints, and yet, I feel
That death is near and that 'twill heal
Them soon enough.... When 'fore me, slain,
My foe lay, I forgot my pain
And wounds and, all unaided, off
Made from the wood.... But fate did scoff
And jeer at me, and vainly I
Its will attempted to defy.

"The forest edge I reached when day
The orbs of night had with its ray
Dispersed.... The slumbering wood awoke
And rustled softly.... Wisps of smoke
Rose in the distance where the lone
Roofs of a hamlet showed.... The moan
Of wind now reached me, and, of tone
Harsh, a familiar sound.... I sat
And listened.... It was faint, and at
That moment, fainter growing, died....
Around me stretched a countryside
I seemed to recognise.... Oh no!
It could not be—had fate a blow
So cruel delivered?... From my dread
And hated prison had I fled
But to return to it again?
For long, long years, a slave, to pine
For blessed freedom, and then this—
A passing glimpse, a taste of bliss,
And after that, beyond recall,
The grave, and, in it buried, all
My longing for my motherland,
My dreams betrayed and broken, and,
Tinged with both anguish and remorse,
The shame of pity such as yours!...
And still to doubt I clung and fought
The voice of truth till my ear caught
Anew the tolling of a bell,
A sound I knew, alas, too well!
From early childhood had that dull

О! я узнал его тотчас!
Он с детских глаз уже не раз
Сгонял виденья снов живых
Про милых ближних и родных,
Про волю дикую степей,
Про лёгких, бешеных коней,
Про битвы чудные меж скал,
Где всех один я побеждал!..
И слушал я без слёз, без сил.
Казалось, звон тот выходил
Из сердца — будто кто-нибудь
Железом ударял мне в грудь.
И смутно понял я тогда,
Что мне на родину следа
Не проложить уж никогда.*

## 21

Да, заслужил я жребий * мой!
Могучий конь, в степи чужой,
Плохого сбросив седока,*
На родину издалека
Найдёт прямой и краткий путь...
Что я пред ним? Напрасно грудь
Полна желаньем и тоской:
То жар бессильный и пустой,
Игра мечты, болезнь ума.
На мне печать свою тюрьма *
Оставила... Таков цветок
Темничный: * вырос одинок
И бледен он меж плит сырых,
И долго листьев молодых
Не распускал, всё ждал лучей
Живительных.* И много дней
Прошло, и добрая рука
Печалью тронулась цветка,
И был он в сад перенесён,
В соседство роз. Со всех сторон
Дышала сладость бытия...*
Но что ж? Едва взошла заря,
Палящий луч её обжёг
В тюрьме воспитанный цветок...

Clanging destroyed the beautiful
Visions that came at times to me
Of my lost home and family,
Of steppeland free, of fiery steeds,
Of valiant and heroic deeds
Performed, and wondrous battles on
Steep mountain pathways waged and won
By me alone!... Deep, deep within
Me did the bell sound.... Weak of limb
It left me, and bereft of tears:
Was not a hand of iron, fierce,
At my heart pounding without end?...
'Twas then that I did comprehend
That what I craved was not to be,
That ne'er would I my birthplace see.

21

"Deserve I do my lot, I know....
A steed in alien steppe will throw
His clumsy rider, and, though mute,
Of instinct sure, the shortest route
Find to his stall.... Beside him what
Am I? I suffer but cannot
My plight, that does so irk me, change;
My dreams are futile and of strange
Delusions born, the undefined
And frenzied longing of the mind....
My prison had on me its mark
Left: like a plant that in a dark
Cell springs to life, so was I; lone
And sapless, 'twixt two slabs of stone
It slowly sprouts, not daring to
Spread its young leaves, and, pale of hue,
Waits for the sun.... Its grief does move
The hand of pity to remove
It to a garden from the gloom
Of dank and murky cell; flowers bloom
About it, all is bliss and cheer
And sweetness.... But our prisoner
Cannot survive, and with the rise
Of dawn, 'tis scorched by sun and dies!

И как его, пали́л меня́
Ого́нь безжа́лостного дня.
Напра́сно пря́тал я в траву́
Мою́ уста́лую главу́: *
Иссо́хший лист её венцо́м
Терно́вым * над мойм чело́м *
Свива́лся,* и в лицо́ огнём
Сама́ земля́ дыша́ла мне.
Сверка́я бы́стро в вышине́,
Кружи́лись и́скры; с бе́лых скал
Струи́лся пар. Мир бо́жий спал
В оцепене́нии * глухо́м
Отча́янья тяжёлым сном.
Хотя́ бы кри́кнул коросте́ль,*
Иль стрекозы́ жива́я трель *
Послы́шалась, и́ли ручья́
Ребя́чий ле́пет... Лишь змея́,
Сухи́м бурья́ном * шелестя́,
Сверка́я жёлтою спино́й,
Как бу́дто на́дписью злато́й *
Покры́тый до́низу клино́к,
Бразди́ * рассы́пчатый песо́к,
Скользи́ла бе́режно; * пото́м,
Игра́я, не́жася * на нём,
Тройны́м свива́лася * кольцо́м;
То, бу́дто вдруг обожжена́,
Мета́лась, пры́гала она́
И в да́льних пря́талась куста́х...

И бы́ло всё на небеса́х
Светло́ и ти́хо. Сквозь пары́ *
Вдали́ черне́ли две горы́.
Наш монасты́рь из-за одно́й
Сверка́л зубча́тою стено́й.
Внизу́ Ара́гва и Кура́,
Обви́в каймо́й из серебра́
Подо́швы све́жих острово́в, *
По ко́рням ше́пчущих кусто́в
Бежа́ли дру́жно и легко́...
До ни́х мне бы́ло далеко́!
Хоте́л я встать — передо мно́й
Всё закружи́лось с быстрото́й; *

"Like that poor plant burnt was I by
The merciless, stinging sunlight. My
Head vainly did I strive to hide
Beneath the grasses: parched and dried
Their leaves were, and a kind of crown
Of thorns formed that sat strangely on
My aching brow.... Into my face
The ground breathed fire. Such was the blaze
And heat of day that bright sparks spun
High up above me, and the sun
Thin shreds of vapour forced the white
Cliffs to give off. All within sight
Lay torpid in the blinding glare:
The heavy sleep of blank despair
God's world bound fast. Not e'en the cry
Of land rail, nor the tiny, dry
Whirr of the gauze-winged dragonfly,
Nor yet the babbling of a brook
The quiet broke.... From its dark nook
A snake emerged; the zigzags on
Its gleaming yellow back made one
Think of a blade with lettering
Of gold adorned.... Into a ring,
A triple one, it coiled, and stayed
A while thus, bland and undismayed;
Then, as if stung by flame, a start
Gave and began to leap and dart
About in wild and frenzied play....

"The skies were tranquil.... Far away
Two hills showed black where they the veil
Of haze had pierced; like furbished mail
Behind them shone the turrets tall
Of this old cloister and its wall,
While far below, round isles of green,
The two twin streams snaked, with a gleam
Like that of silver.... I could see
Them flowing lightly, rapidly
O'er naked roots and onward run....
I tried to rise — around me spun
The world; I tried to speak — my tongue
Went dry and to my palate clung.

Хотел кричать — язык сухой
Беззвучен и недвижим был...
Я умирал. Меня томил
Предсмертный бред.
                        Казалось мне,
Что я лежу на влажном дне
Глубокой речки — и была
Кругом таинственная мгла.
И, жажду вечную поя,
Как лёд холодная струя,
Журча, вливалася * мне в грудь...
И я боялся лишь заснуть,—
Так было сладко, любо мне...*
А надо мною в вышине
Волна теснилася * к волне
И солнце сквозь хрусталь волны
Сияло сладостней луны...
И рыбок пёстрые стада
В лучах играли иногда.
И помню я одну из них:
Она приветливей других
Ко мне ласкалась. Чешуёй
Была покрыта золотой
Её спина. Она вилась
Над головой моей не раз,
И взор её зелёных глаз
Был грустно нежен и глубок...
И надивиться я не мог: *
Её сребристый * голосок
Мне речи странные шептал,
И пел, и снова замолкал.


                        *


Он говорил: «Дитя моё,
    Останься здесь со мной:
В воде привольное житьё *
    И холод и покой.


                        *


Я созову моих сестёр:
    Мы пляской круговой
Развеселим туманный взор
    И дух усталый твой.

Doomed was I! As the minutes passed,
I knew that gruesome Death had cast
O'er me its shadow; overcome
Was I by dark delirium,
And on the bottom seemed to rest
Of some deep stream. The waves caressed
My face and hands, and o'er me rolled,
And quenched my burning thirst. As cold
The water was as ice and pure....
If but this moment could endure,
I told myself, this calm, this peace,
If only sleep would not drive these
Fond dreams away!... The light that through
The water seeped as soft and blue
And tender as the moon's became,
The harsh beams turning strangely tame
And mellow.... Near me, to and fro,
Bright fish did flit and fairly glow
With colour.... Silent and entranced,
I watched them. One fish frisked and danced
Just o'er my head. Fine scales of gold
Did cover it.... Against me, bold,
Now and again it brushed in play
And did its friendliness display
In like frank way. Its gaze met mine,
And, lo! — its silvery voice and thin
In song it raised. Full of content
I listened to 't, and wonderment:
A strange song 'twas, and tinged with pain;
Now 'twould break off, now start again....

*

'Come, stay with me, it went, 'and you'll
    Regret it not, my dear.
Calm are these watery wastes and cool,
    In freedom live we here.

*

'We'll dance, my sisters fair and I,
    A gay dance for a start,
And drive the sadness from your eye,
    The darkness from your heart.

107

\*

Усни, постель твоя мягка,
    Прозрачен твой покров.
Пройдут года, пройдут века
    Под говор \* чудных снов.

\*

О милый мой! не утаю,\*
    Что я тебя люблю,
Люблю как вольную струю,
    Люблю как жизнь мою...»

И долго, долго слушал я;
И мнилось, звучная струя
Сливала тихий ропот \* свой
С словами рыбки золотой.
Тут я забылся. Божий свет
В глазах угас. Безумный бред
Бессилью тела уступил...

24

Так я найдён \* и поднят был...
Ты остальное знаешь сам.
Я кончил. Верь моим словам
Или не верь, мне всё равно.
Меня печалит лишь одно:
Мой труп холодный и немой \*
Не будет тлеть в земле родной,
И повесть горьких мук моих
Не призовёт меж стен глухих
Внимание скорбное ничьё
На имя тёмное \* моё.

25

Прощай, отец...\* дай руку мне:
Ты чувствуешь, моя в огне...
Знай, этот пламень с юных дней,
Таяся,\* жил в груди моей;
Но ныне пищи нет ему,
И он прожёг свою тюрьму \*
И возвратится вновь к тому,
Кто всем законной чередой

*

'Sleep, dear one! Soft and downy is
  Your bed of sand and grass.
The fleeting years and centuries
  In dulcet dreams will pass.

*

'I love you, love, the way I do
  These rolling waves and free.
As precious and as dear are you
  As life itself to me.'

I listened patiently and long:
The water's murmur with the song
Sung by the goldfish seemed to blend....
Then, without warning, to an end
Came these odd dreams, the light of noon
Faded away, and in a swoon,
Oblivious to all, I lay....

24

"'Twas there they found me.... I will say
No more, you know the rest. If you,
Whose sympathy I need not woo,
Believe me not, 'tis all the same
To me, but sorely grieved I am
By one thing: that my body will
In alien soil lie, cold and still,
That words writ by some stranger on
My grave will wake response in none,
And that to my dark fate and name
All will indifferent remain.

25

"Adieu!... Our parting let us seal
With hand-clasp, Father. Can you feel
How hot my hand is and how dry?...
Know this: a fire has e'er in my
Breast lurked from youth, and in its greed
Devoured its captor—flesh, and freed
The spirit that must soon return
To one who does mete out, in turn,

Даёт страданье и покой...
Но что мне в том? — пускай * в раю,
В святом, заоблачном краю
Мой дух найдёт себе приют...
Увы! — за несколько минут
Между крутых и тёмных скал,
Где я в ребячестве играл,
Я б рай и вечность променял...

## 26

Когда я стану умирать,
И, верь, тебе не долго ждать,
Ты перенесть * меня вели *
В наш сад, в то место, где цвели
Акаций белых два куста...*
Трава меж ними так густа,
И свежий воздух так душист,
И так прозрачно-золотист
Играющий на солнце лист!
Там положить вели меня.
Сияньем голубого дня
Упьюся * я в последний раз.
Оттуда виден и Кавказ!
Быть может, он с своих высот
Привет прощальный мне пришлёт,
Пришлёт с прохладным ветерком...
И близ * меня перед концом
Родной опять раздастся звук!
И стану думать я, что друг
Иль брат, склонившись надо мной,
Отёр внимательной рукой *
С лица кончины * хладный * пот
И что вполголоса * поёт
Он мне про милую страну...
И с этой мыслью я засну,
И никого не прокляну!...»

To each of us, now pain, now peace....
But think not that I seek release
From worldly chains, my old friend—Nay!
Exchange I would for one short day,
For less, for but one hour amid
The jagged rocks where play I did,
A child, if 'twere but offered me,
Both Heaven and eternity!...

26

"When comes my end, for which to wait
Not long remains, for so has fate
Ordained, pray, have me taken to
The garden, to the spot where two
Acacia bushes grow, and lush
The grass is, and with golden brush
The sun the leaves tints, and the air
Is clear and heady.... Place me there,
Beneath that blue and boundless sky,
So that I may before I die
My eyes feast on the luminous,
Light-nourished day.... The Caucasus
From that spot can be seen, and will
Send me their last farewell, the chill
Breeze using for a messenger,
And my heart with the dear sounds stir
Of home, and make me think that by
My side my brother, as I lie
There quietly, or else an old
And trusted friend sits, and the cold
Drops patient wiping from my face,
In hushed tones sings a song of praise
To our dear homeland, his and mine....
With thought of it I'll sleep, and in
The moment 'fore oblivion
Curse no man and disparage none!"

# ДЕМОН

*Восточная повесть*

## ЧАСТЬ I

### I

Печа́льный Де́мон, дух изгна́нья,*
Лета́л над гре́шною землёй,
И лу́чших дней воспомина́нья
Пред * ни́м тесни́лися * толпо́й;
Тех дней, когда́ в жили́ще све́та
Блиста́л он, чи́стый херуви́м,*
Когда́ бегу́щая коме́та
Улы́бкой ла́сковой приве́та
Люби́ла поменя́ться с ним,
Когда́ сквозь ве́чные тума́ны,
Позна́нья жа́дный,* он следи́л
Кочу́ющие * карава́ны *
В простра́нстве бро́шенных свети́л; *
Когда́ он ве́рил и люби́л,
Счастли́вый пе́рвенец творе́нья!
Не зна́л ни зло́бы, ни сомне́нья,
И не грози́л уму́ его́
Веко́в беспло́дных ряд уны́лый...
И мно́го, мно́го... и всего́
Припо́мнить не име́л он си́лы!

### II

Давно́ отве́рженный блужда́л *
В пусты́не ми́ра без прию́та:
Восле́д * за ве́ком век бежа́л,
Как за мину́тою мину́та,
Однообра́зной чередо́й.*
Ничто́жной вла́ствуя землёй,
Он се́ял зло без наслажде́нья.
Нигде́ иску́сству своему́
Он не встреча́л сопротивле́нья —
И зло наску́чило ему́.

### III

И над верши́нами Кавка́за
Изгна́нник ра́я пролета́л:

# THE DEMON

*An Eastern Legend*

## Part I

### I

His way above the sinful earth
The melancholy Demon winged
And memories of happier days
About his exiled spirit thronged;
Of days when in the halls of light
He shone among the angels bright;
When comets in their headlong flight
Would joy to pay respect to him
As, chaste among the cherubim,
Among th' eternal nebulae
With eager mind and quick surmise
He'd trace their caravanserai
Through the far spaces of the skies;
When he had known both faith and love,
The happy firstling of creation!
When neither doubt nor dark damnation
Had whelmed him with the bitterness
Of fruitless exile year by year,
And when so much, so much...but this
Was more than memory could bear.

### II

Outcast long since, he wandered lone,
Having no place to call his own,
Through the dull desert of the world
While age on age about him swirled,
Minute on minute—all the same.
Prince of this world—which he held cheap—
He scattered tares among the wheat....
A joyless task without remission,
Void of excitement, opposition—
Evil itself to him seemed tame.

### III

And so—exiled from Paradise—
He soared above the peaks of ice

113

Под ним Казбек,* как грань алмаза,
Снегами вечными сиял,
И, глубоко внизу чернея,
Как трещина, жилище змея,*
Вился * излучистый * Дарьял,*
И Терек, прыгая, как львица
С косматой гривой на хребте,
Ревел,— и горный зверь и птица,
Кружась в лазурной * высоте,
Глаголу * вод его внимали; *
И золотые облака
Из южных стран, издалека
Его на север провожали;
И скалы тесною толпой,
Таинственной дремоты полны,
Над ним склонялись головой,
Следя мелькающие волны; *
И башни замков на скалах *
Смотрели грозно сквозь туманы —
У врат * Кавказа на часах *
Сторожевые * великаны!
И дик * и чуден * был вокруг
Весь божий мир; но гордый дух
Презрительным окинул оком *
Творенье бога своего,
И на челе * его высоком
Не отразилось ничего.


IV

И перед ним иной картины
Красы * живые расцвели:
Роскошной Грузии долины
Ковром раскинулись вдали;
Счастливый, пышный край земли!
Столпообразные раины,*
Звонко-бегущие ручьи
По дну из камней * разноцветных,
И кущи * роз, где соловей
Поют красавиц,* безответных
На сладкий голос * их любви;
Чинар * развесистые * сени, *
Густым венчанные * плющом,
Пещеры, где палящим днём *
Таятся * робкие олени;

And saw the everlasting snows
Of Kazbek and the Caucasus,
And, serpentine, the winding deeps
Of that black, dragon-haunted pass
The Daryal gorge; then the wild leaps
Of Terek like a lion bounding
With mane of tangled spray that blows
Behind him, and a great roar sounding
Through all the hills, where beast and bird
On mountain scree and azure steeps
The river's mighty voice had heard;
And, as he flew, the golden clouds
Streaked from the South in tattered shrouds...
Companions on his Northbound course;
And the great cliffs came crowding in
And brooded darkly over him
Exuding some compelling force
Of somnolence above the stream...
And on the cliff-tops castles reared
Their towered heads and baleful stared
Out through the mists—wardens who wait
Colossal at the mighty gate
Of Caucasus—and all about
God's world lay wonderful and wild...
But the proud Spirit looked with doubt
And cool contempt on God's creation,
His brow unruffled and serene
Admitting no participation.


## IV

Before him now another scene
In vivid beauty blooms.
The patterned vales' luxuriant green
Spread like a carpet on the looms
Of Georgia, rich and blessed ground!
These poplars like great pillars tower,
And sounding streams trip over pebbles
Of many colours in their courses,
And, ember-bright, the rose trees flower
Where nightingales forever warble
To marble beauties fond discourses
Forever deaf to their sweet sound.
On sultry days the timid deer
Seek out an ivy-curtained cave
To hide them from the midday heat;

И блеск, и жизнь, и шум листо́в, *
Стозву́чный * го́вор голосо́в,
Дыха́нье ты́сячи расте́ний!
И по́лдня сладостра́стный зной,
И арома́тною росо́й
Всегда́ увла́женные * но́чи,
И звёзды, я́ркие, как о́чи,
Как взор грузи́нки молодо́й!..
Но, кро́ме за́висти холо́дной,
Приро́ды блеск не возбуди́л
В груди́ изгна́нника беспло́дной
Ни но́вых чувств, ни но́вых сил;
И всё, что пред собо́й он ви́дел,
Он презира́л иль ненави́дел.

## V

Высо́кий дом, широ́кий двор
Седо́й Гуда́л себе́ постро́ил...
Трудо́в и слёз он мно́го сто́ил
Раба́м послу́шным с да́вних пор.
С утра́ на ска́т * сосе́дних гор
От стен его́ лежа́тся те́ни.*
В скале́ нару́блены ступе́ни;
Они́ от ба́шни углово́й
Веду́т к реке́, по ни́м мелька́я,
Покры́та бе́лою чадро́й [1],
Княжна́ Тама́ра молода́я
К Ара́гве * хо́дит за водо́й.

## VI

Всегда́ безмо́лвно на доли́ны
Гляде́л с утёса мра́чный дом;
Но пир большо́й сего́дня в нём —
Звучи́т зурна́ [2],* и льются ви́ны *—
Гуда́л сосва́тал дочь свою́,
На пи́р он со́звал * всю семью́.
На кро́вле,* у́стланной * ковра́ми,
Сиди́т неве́ста меж * подру́г:
Средь игр и пе́сен их досу́г
Прохо́дит. Да́льними гора́ми

---

[1] Покрыва́ло. (*Прим. М. Ю. Ле́рмонтова.*)
[2] Вро́де волы́нки.* (*Прим. М. Ю. Ле́рмонтова.*)

How bright, how live the leaves are here!
A hundred voices soft conclave
A thousand flower-hearts that beat!
The sensuous warmth of afternoon,
The scented dew which falls to strew
The grateful foliage 'neath the moon,
The stars that shine as full and bright
As Georgian beauties' eyes by night!...
Yet in the outcast's barren breast
Abundant nature woke no new
Upsurge of forces long at rest,
Touched off no other sentiment
Than envy, hatred, cold contempt.


V

Right high the house, right wide the court
Grey-haired Gudáal has builded him...
In tears and labour dearly bought
By slaves submissive to his whim.
Across the neighbouring cliffs its shade
From sunrise dark and cool is laid
A steep stair in the cliff-face hewn
Leads from the corner-tower down
To the Aragva. Down this stair
Princess Tamara, young and fair,
Goes gleaming, snow white veils a-flutter,
To fetch her jars of river water.


VI

In austere silence heretofore
The house has looked across the valleys;
But now wide open stands the door
Gudáal holds feast to mark the marriage
Of his Tamara: now the wine
Flows freely and the zurná skirls;
The clan is gathered round to dine
And on the roof-top, richly spread
With orient rugs, the promised bride
Sits all amongst her laughing girls:

Уж спря́тан со́лнца полукру́г;
В ладо́ни ме́рно * ударя́я,
Они́ пою́т — и бу́бен * свой
Берёт неве́ста молода́я.
И вот она́, одно́й руко́й
Кружа́ его́ над голово́й,
То вдруг помчи́тся ле́гче пти́цы,
То остано́вится, гляди́т —
И вла́жный взор её блести́т
Из-под зави́стливой ресни́цы;
То чёрной бро́вью поведёт,
То вдруг накло́нится немно́жко,
И по ковру́ скользи́т, плывёт
Её боже́ственная но́жка;
И улыба́ется она́,
Весе́лья де́тского полна́.
Но луч луны́, по вла́ге * зы́бкой *
Слегка́ игра́ющий поро́й,
Едва́ ль сравни́тся с той улы́бкой,
Как жизнь, как мо́лодость, живо́й.

## VII

Кляну́сь полно́чною звездо́й,
Лучо́м зака́та и восто́ка,
Власти́тель Пе́рсии злато́й *
И ни еди́ный царь земно́й
Не целова́л тако́го о́ка;
Гаре́ма бры́зжущий фонта́н
Ни ра́зу жа́ркою поро́ю
Свое́й жемчу́жною росо́ю
Не омыва́л подо́бный стан! *
Ещё ничья́ рука́ земна́я,
По ми́лому челу́ * блужда́я,
Таки́х воло́с не расплела́;
С тех пор как мир лиши́лся ра́я,
Кляну́сь, краса́вица така́я
Под со́лнцем ю́га не цвела́.

## VIII

В после́дний раз она́ пляса́ла.
Увы́! зау́тра * ожида́ла
Её, насле́дницу Гуда́ла,

In games and songs their time is sped
And merriment. Beyond the hills
The semicircle of the sun
Has sunk already. Now the fun
Crows fast and furious. Now the steady
Rhythmic clapping and the singing
The bride brings to her feet, poised ready,
Her tambourine above her head
Is circling, she herself goes winging
Bird-light above rug, then stops,
Looks round, and lets her lashes drop
That envious hide her shining glance;
And now she raises raven brows,
Now suddenly sways forward slightly
Her slender foot peeps out, and lightly
It slides and swims into the dance;
And see she smiles—a joyous gleam
Aglow with childish merriment.
And yet... the white moon's sportive beam
In rippling water liquid bent
With such a smile could scarce compare
More live than life, than youth more fair.

### VII

So by the midnight star I swear
By blazing East and beaming West
No Shah of Persia knew her peer
No King on earth was ever blessed
To kiss an eye so full and fine.
The harem's sparkling fountain never
Showered such a form with dewy pearls!
Nor had mortal fingers ever
Caressed a forehead so divine
To loose such splendid curls;
Indeed, since Eve was first undone
And man from Eden forth must fare
No beauty such as this, I swear,
Had bloomed beneath the Southern sun.

### VIII

So now for the last time she danced
Alas! Tomorrow, she, the heir
Of old Gudáal, the daughter fair

Свободы резвую дитя,*
Судьба печальная рабыни,*
Отчизна,* чуждая * поныне,*
И незнакомая семья.
И часто тайное сомненье
Темнило светлые черты;
И были все её движенья
Так стройны, полны выраженья,
Так полны милой простоты,
Что если б Демон, пролетая,
В то время на неё взглянул,
То, прежних братий вспоминая,
Он отвернулся б — и вздохнул...

## IX

И Демон видел... На мгновенье
Неизъяснимое * волненье
В себе почувствовал он вдруг.
Немой души его пустыню *
Наполнил благодатный * звук —
И вновь постигнул он святыню
Любви, добра и красоты!..
И долго сладостной картиной
Он любовался — и мечты
О прежнем счастье цепью длинной,
Как будто за звездой звезда,
Пред ним катилися * тогда.
Прикованный незримой * силой,
Он с новой грустью стал знаком;*
В нём чувство вдруг заговорило
Родным когда-то языком.*
То был ли признак возрожденья?
Он слов коварных искушенья
Найти в уме своём не мог...
Забыть? — забвенья не дал бог:
Да он и не взял бы * забвенья!..
. . . . . . . . . . . . . . .

## X

Измучив доброго * коня,
На брачный пир к закату дня
Спешил жених нетерпеливый.

Of liberty must bow her head
To a slave's fate like one entranced,
Adopt a country not her own,
A family she'd never known—
Often a secret doubt would shed
A shadow on her radiant face;
Yet all her movements were so free
Appealing, redolent of grace
So full of sweet simplicity
That, had the Demon soaring high
Above looked down and chanced to see...
Then, mindful of his former race,
He had turned from her — with a sigh....

## IX

The Demon *did* see.... For one second
It seemed to him that heaven beckoned
To make his arid soul resound
With glorious, grace-bestowing sound—
And once again his thought embraced
The sacrosanct significance
Of Goodness, Beauty and of Love!
And, strangely moved, his memory traced
The joys that he had known above
A chain of long magnificence
Before him link on link unfolding
As though he watched the headlong flight
Of star on star shoot through the night....
And, long the touching scene beholding,
Held spell-bound by some Power unseen,
New sadness in his heart awoke.
Then, suddenly, emotion spoke
In accents once familiar;
Could this yet be regeneration?
The subtle promptings of temptation
Had gone as though they had not been...
Oblivion?—God gave this not yet:—
Nor would he, if he could, forget!....
. . . . . . . . . . . . . . . . . . . . . . . . . . . . . . . . . . . . . . .

## X

Meanwhile, his galant steed all lathered
Hastening to join his kin forgathered
To celebrate his wedding day

Арáгвы свéтлой он счастлúво
Достúг зелёных берегóв.
Под тя́жкой нóшею дарóв
Едвá, едвá переступáя,
За нúм верблю́дов длúнный ряд
Дорóгой тя́нется, мелькáя:
Их колокóльчики звеня́т.
Он сам, властúтель Синодáла,
Ведёт богáтый каравáн.
Ремнём затя́нут лóвкий * стан; *
Опрáва сáбли и кинжáла
Блестúт на сóлнце; за спинóй
Ружьё с насéчкой вырезнóй.*
Игрáет вéтер рукавáми
Егó чухú[1],— кругóм онá
Вся галунóм * обложенá.*
Цветны́ми вы́шито шелкáми
Егó седлó; уздá с кистя́ми;
Под нúм весь в мы́ле * конь лихóй
Бесцéнной мáсти,* золотóй.
Питóмец рéзвый Карабáха *
Прядёт ушьмú * и, пóлный стрáха,
Храпя́ косúтся * с крутизны́ *
На пéну скáчущей волны́.
Опáсен, ýзок путь прибрéжный!
Утёсы с лéвой стороны́,
Напрáво глубь рекú мятéжной.*
Уж пóздно. На вершúне снéжной
Румя́нец гáснет; * встал тумáн...
Прибáвил шáгу * каравáн.

## XI

И вот часóвня * на дорóге...
Тут с дáвних лет почúет в бóге *
Какóй-то князь, тепéрь святóй,
Убúтый мстúтельной рукóй.
С тех пóр на прáздник иль на бúтву,
Кудá бы пýтник ни спешúл,
Всегдá усéрдную молúтву

---

[1] Вéрхняя одéжда с откидны́ми рукавáми. (*Прим. М. Ю. Лéр-монтова.*)

The bridegroom made his urgent way....
Good fortune yet attended him
To bright Aragva's verdant bank.
A line of camels after him
So weighted down with costly gifts
They scarce from hoof to hoof could shift
Wound down the pathway, rank on rank,
Now clear to view, now lost to sight,
Bells chiming softly as they plod.
Their master rode on in the van
To guide his laden caravan
That followed where his horse had trod....
Erect, the lithe waste girdled tight;
Sabre and dagger-hilts shine bright
Beneath the sun; and on his back
A gleaming rifle, notched in black.
The wind is fluttering the sleeve
Of his *chukhá*—all bravely braided
His saddle-cloth of richest weave,
The saddle with gay silks is broidered
The reigns are tasseled—and his steed
Is of a priceless, golden breed.
Nostrils dilated, twitching ears
He glances down and snorts his fears
Of the deep drop, the flying foam
That crests the rapids' leaping waves.
How perilous the path they follow,
The cliff o'erhangs the way so narrow,
The deep ravine the torrent paves.
The hour is late.—The sunset glow
Is fading on the peaks of snow.
The caravan makes haste for home.

## XI

But see—a chapel by the way....
Here now has rested many a day
Some prince, now canonized, but then
By vengeful hand untimely slain.—
And here the traveller must stay
Whether he haste to fight, or whether
To join the feast, here he must ever

Он у часо́вни приноси́л;
И та моли́тва сберега́ла
От мусульма́нского кинжа́ла.
Но пре́зрел удало́й жени́х
Обы́чай пра́дедов свои́х.
Его́ кова́рною мечто́ю
Лука́вый Де́мон возмуща́л: *
Он в мы́слях, под ночно́ю тьмо́ю,
Уста́ * неве́сты целова́л.
Вдруг впереди́ мелькну́ли дво́е,
И бо́льше — вы́стрел! — что тако́е?..
Привста́в на зво́нких ¹ стремена́х,
Надви́нув на́ брови * папа́х²,*
Отва́жный князь не мо́лвил сло́ва;
В руке́ сверкну́л туре́цкий ствол,
Нага́йка * щёлк * — и, как орёл,
Он ки́нулся...* и вы́стрел сно́ва!
И ди́кий крик и стон глухо́й
Промча́лись в глубине́ доли́ны —
Недо́лго продолжа́лся бой:
Бежа́ли ро́бкие грузи́ны!

## XII

Зати́хло всё; тесня́сь толпо́й,
На тру́пы вса́дников поро́й
Верблю́ды с у́жасом гляде́ли;
И глу́хо в тишине́ степно́й
Их колоко́льчики звене́ли.
Разгра́блен пы́шный карава́н;
И над тела́ми христиа́н
Черти́т круги́ ночна́я пти́ца!
Не ждёт их ми́рная гробни́ца
Под сло́ем монасты́рских плит,
Где прах отцо́в их был зары́т;
Не приду́т * сёстры с матеря́ми,
Покры́ты дли́нными чадра́ми,
С тоско́й, рыда́ньем и мольба́ми,
На гроб их из далёких мест!
Зато́ усе́рдною руко́ю

---

¹ Стремена́ у грузи́н вро́де башмако́в из зво́нкого мета́лла.
(*Прим. М. Ю. Ле́рмонтова.*)
² Ша́пка вро́де ерива́нки. (*Прим. М. Ю. Ле́рмонтова.*)

Rein in his horse and humbly pray
The good saint to protect his life
Against the lurking Moslem's knife.
But now the bridegroom, overbold,
Forgot his forefathers of old
And, by perfidious dreams misled
Of how, beneath the cloak of night,
He would embrace his bride, instead
Of holding by their pious rite
He yielded to the Demon's will
Seduced by turbid thoughts—until
Two figures—then a shot—ahead
What was it? Rising in his stirrups
Cramming his high hat on his brow
The gallant lover, at the gallop,
Plunged like a hawk upon his foe!
No word he spoke, his whip cracked once
And once blazed forth his Turkish gun....
Another shot. Wild cries. The Prince
Goes thundering on. The groans behind
Long echoes in the valley find....
Not long the fight. Of timorous mind,
The Georgians turn and run!

## XII

Now all is silence; sadly huddled
The camels stand and stare befuddled
Upon their erstwhile master—man,
Lying dead amongst these silent fells.
The only sound their harness bells,
Ravaged and robbed their caravan,
And see, the owl flies softly round
The Christian bodies on the ground!
No peaceful tomb beneath the stones
Of some old church will take these bones
Like those in which their fathers lie;
Mothers nor sisters will not come
In their long floating veils to cry
Over these graves so far from home!
Instead, by zealous hands, a cross
Was raised to mark the dreadful loss

Здесь у доро́ги, над скало́ю
На па́мять водрузи́тся * крест;
И плющ,* разро́сшийся весно́ю,
Его́, ласка́ясь, обовьёт
Свое́ю се́ткой изумру́дной;
И, свороти́в * с доро́ги тру́дной,
Не ра́з уста́лый пешехо́д
Под бо́жьей те́нью отдохнёт...

## XIII

Несётся конь быстре́е ла́ни,*
Храпи́т и рвётся, бу́дто к бра́ни; *
То вдруг оса́дит на скаку́,*
Прислу́шается к ветерку́,
Широ́ко * но́здри раздува́я;
То, ра́зом * в зе́млю ударя́я
Шипа́ми зво́нкими копы́т,
Взмахну́в растрёпанною гри́вой,
Вперёд без па́мяти * лети́т.
На нём есть вса́дник молчали́вый!
Он бьётся * на седле́ поро́й,*
Припа́в на гри́ву голово́й.
Уж он не пра́вит повода́ми,
Задви́нув но́ги в стремена́,
И кровь широ́кими струя́ми
На чепраке́ * его́ видна́.
Скаку́н лихо́й, ты господи́на
Из бо́я вы́нес, как стрела́,
Но зла́я пу́ля осети́на
Его́ во мра́ке догнала́!

## XIV

В семье́ Гуда́ла плач и сто́ны,
Толпи́тся на дворе́ наро́д:
Чей конь примча́лся запалённый *
И пал * на ка́мни у воро́т?
Кто э́тот вса́дник бездыха́нный?
Храни́ли след трево́ги бра́нной *
Морщи́ны сму́глого чела́.
В крови́ ору́жие и пла́тье; *
В после́днем бе́шеном пожа́тье
Рука́ на гри́ве замерла́.
Недо́лго жениха́ младо́го,
Неве́ста, взор твой ожида́л:

Just where the road hugs close the sheer
And towering cliff-wall, close to where
They perished in the raid....
And ivy, growing lush in spring,
An emerald net about it flings....
Here, weary of the toilsome road,
The traveller yet lays down his load
To rest in God's good shade....

## XIII

Swift as a stag still runs the horse
Snorting as though he held his course
In some fierce charge, now plunging on
Now pulling up as though to harken
His nostrils flared to sniff the wind;
Then leaps up and comes ringing down
On all four hooves, sets sparking
The stones and, in his mad career,
His tangled mane streams out behind.
A silent rider he does bear
Who lurches forward now and then
To rest his head in that wild mane.
The reins lie slack in useless hands,
The feet are deep-thrust in the stirrups,
And on his saddle-cloth the bands
Of blood are broadening as they gallop
Ah gallant steed, your wounded master
You bore from battle swift as light
The ill-starred bullet sped yet faster
And overtook him in the night!

## XIV

Gudáal's is now a house of mourning,
The people crowd into the court:
Whose horse comes galloping in terror
To fall before the rock-hewn gate?
The lifeless rider, who is he?
The battle fury on his face
Has left a deep inscribéd trace
On coat and weapons they could see
Fresh bloodstains, and a wiry strand
Of mane was twisted in his hand,
Not long you waited, youthful bride,
And looked to see your bridegroom come:

Сдержа́л он кня́жеское сло́во,*
На бра́чный пир он прискака́л...
Увы́! но никогда́ уж сно́ва
Не ся́дет на коня́ лихо́го!..

## XV

На беззабо́тную семью́
Как гром слете́ла бо́жья ка́ра! *
Упа́ла на посте́ль свою́,
Рыда́ет бе́дная Тама́ра;
Слеза́ ка́тится * за слезо́й,
Грудь высоко́ и тру́дно ды́шит;
И вот она́ как бу́дто слы́шит
Волше́бный го́лос над собо́й:
«Не пла́чь, дитя́! не пла́чь напра́сно!
Твоя́ слеза́ на тру́п безгла́сный *
Живо́й росо́й не упадёт: *
Она́ лишь взор тума́нит я́сный,
Лани́ты * де́вственные жжёт!
Он далеко́, он не узна́ет,
Не оце́нит * тоски́ твое́й;
Небе́сный свет тепе́рь ласка́ет
Беспло́тный взор его́ оче́й;
Он слы́шит ра́йские напе́вы...
Что жи́зни ме́лочные сны,
И стон и слёзы бе́дной де́вы
Для го́стя ра́йской стороны́? *
Нет, жре́бий * сме́ртного творе́нья
Пове́рь мне, а́нгел мой земно́й,
Не сто́ит одного́ мгнове́нья
Твое́й печа́ли дорого́й!

На возду́шном океа́не,
Без руля́ и без ветри́л,*
Ти́хо пла́вают в тума́не
Хо́ры стро́йные свети́л; *
Средь поле́й необозри́мых
В не́бе хо́дят без следа́
Облако́в неулови́мых
Волокни́стые стада́.
Час разлу́ки, час свида́нья —
Им ни ра́дость, ни печа́ль;
Им в гряду́щем нет жела́нья
И проше́дшего не жа́ль.

Alas, though he has gained your side
To join the feasting at your home
His princely word he keeps in vain...
Never will he mount horse again.

## XV

Like thunder, the Lord's judgement broke
About this unsuspecting house!
Tamara, sobbing on her couch,
Gives free rein to the heavy tears
Till, shaken, she on them must choke....
Then, suddenly, it seems she hears
Above her words of wonder spoke:
"Weep not, my child! Weep not in vain!
Those tears are no life-giving rain
To call an unresponsive corpse
Back to the living world again.
They only serve to dull their source
In those clear eyes, those cheeks to burn....
And he is far and will not learn
Of all your bitter sorrow now;
The winds of heaven now caress
His high, angelic brow;
And heavenly music, heavenly light....
What are the dreams and dark duress,
The little hopes and stifled sighs
Of earthly maidens in the sight
Of one who dwells in paradise?
Ah no, the lot of mortal man,
Believe, my earthly angel dear,
It merits not one second's span
Your precious sorrow here.

On the wastes of airy ocean
Rudderless and stripped of sail
Through the mists in listless motion
Stars in courses never fail;
Through the boundless fields of heaven
Traceless pass the fluffy sheep—
Clouds dissolving in the even
Reaches of the azure steppe.
Hour of parting, hour of meeting,
Brings them neither joy nor sorrow;
Nor regrets for past fast fleeting;
Nor desires for any morrow.

В день томительный несчастья
Ты об них лишь вспомяни;
Будь к земному без участья
И беспечна,* как они!»


«Лишь только ночь своим покровом
Верхи * Кавказа осенит,*
Лишь только мир, волшебным словом
Заворожённый, замолчит;
Лишь только ветер над скалою
Увядшей шевельнёт травою,*
И птичка, спрятанная в ней,
Порхнёт * во мраке веселей;
И под лозою виноградной,
Росу небес глотая жадно,
Цветок распустится ночной;
Лишь только месяц * золотой
Из-за горы тихонько встанет
И на тебя украдкой * взглянет,—
К тебе я стану прилетать;
Гостить я буду до денницы *
И на шелковые * ресницы
Сны золотые навевать...*»


## XVI

Слова умолкли в отдаленье,
Вослед * за звуком умер звук.
Она, вскочив, глядит вокруг...
Невыразимое смятенье
В её груди; печаль, испуг,
Восторга пыл — ничто в сравненье.
Все чувства в ней кипели вдруг;
Душа рвала свои оковы,
Огонь по жилам пробегал,
И этот голос чудно-новый,
Ей мнилось, всё ещё звучал.
И перед утром сон желанный
Глаза усталые смежил; *
Но мысль её он возмутил *
Мечтой пророческой и странной.
Пришлец * туманный и немой,*
Красой блистая неземной,
К её склонился изголовью; *
И взор его с такой любовью,
Так грустно на неё смотрел,

Let remembrance day be only
One long sorrow-laden day;
For the rest, be strong and lonely
Free of earthly cares as they!"

"As soon as night has spread her veil
To cover the Caucasian heights;
As soon as nature 'neath the spell
Of magic words falls silent quite;
As soon as on the cliffs the wind
Runs rustling through the fading grass,
And the small bird that hides behind
The brittle blades flies up at last;
And, drinking in the evening dew
Beneath the vine-leaves in the gloom,
Night flowering blossoms come to bloom;
As soon as the great, golden moon
Above the mountain quietly peeps
To steal a stealthy glance at you;
I shall come flying to watch your sleep
And on your silken lashes lay
Enchanted dreams of golden day...."

## XVI

And softly as a strange delusion
The voice fell silent, sound on sound.
The maid sprang up and gazed around,
An inexpressible confusion
Within her breast;—sorrow nor fear
Nor ecstasy could now compare
With this great upsurge of emotion.
The soul from its fast fetters broke
And burning fire coursed through her veins
It seemed as though the voice still spoke
Unknown and wonderful—and then
The sleep she craved came down to bless
Her weary eyes with heaviness;
But now he troubled even her thought
With dreams prophetic and unsought:
A stranger, mist-enshrouded, stood
Beside her bed and spoke no word
But, glimmering with unearthly beauty,
He looked at her with quiet devotion
And sadly, as it were in pity.

Как бу́дто он об не́й жале́л.
То не́ был а́нгел-небожи́тель,
Её боже́ственный храни́тель:
Вене́ц из ра́дужных луче́й
Не украша́л его́ кудре́й.
То не́ был а́да дух ужа́сный,
Поро́чный му́ченик — о нет!
Он был похо́ж на ве́чер я́сный:
Ни де́нь, ни но́чь,— ни мра́к, ни све́т!..

## Часть II

### I

«Оте́ц, оте́ц, оста́вь угро́зы,
Свою́ Тама́ру не брани́; *
Я пла́чу: ви́дишь э́ти слёзы,
Уже́ не пе́рвые они́.
Напра́сно женихи́ толпо́ю
Спеша́т сюда́ из да́льних мест...
Нема́ло в Гру́зии неве́ст;
А мне не бы́ть ничье́й жено́ю!..
О, не брани́, оте́ц, меня́.
Ты сам заме́тил: день от дня́
Я вя́ну, же́ртва злой отра́вы!
Меня́ терза́ет дух лука́вый
Неотрази́мою мечто́й;
Я ги́бну, сжа́лься надо мно́й!
Отда́й в свяще́нную оби́тель *
Дочь безрассу́дную свою́;
Там защити́т меня́ спаси́тель,
Пред ни́м тоску́ мою́ пролью́.
На све́те нет уж мне весе́лья...
Святы́ни ми́ром осеня́,*
Пусть при́мет су́мрачная * ке́лья,*
Как гроб, зара́нее меня́...»

### II

И в монасты́рь уедине́нный
Её родны́е отвезли́,
И власяни́цею * смире́нной
Грудь молоду́ю облекли́.
Но и в мона́шеской оде́жде,

But this was not her guardian angel,
No visitant from realms divine:
About his head no radiant halo
Upon the shadowy curls did shine
Nor was it some tormented sprite
Some vicious spirit of hell—ah no!
Neither of darkness nor of light!...
More like the gentle afterglow
As evening deepens into night!...

## Part II

### I

"Ah, father, father, leave your threats
Scold not your daughter yet again.
For see these tears! I'm weeping yet
You know full well since when
The suitors come to seek my hand
From all the corners of the land....
As though in Georgia only one
Young maid there were they'd have as bride....
But I—I can be wife to none!...
Oh, father, father, do not chide,
You see yourself — a poison slow
Envenoms all my waking thought
The evil one won't let me go
By overwhelming dreams distraught
I fade and perish utterly!
Have pity, let your foolish girl
Seek refuge in a monastery
There, if I can but take the veil
The saviour will take care of me
And I shall tell Him all my woe.
The world, I know it all too well,
Holds nothing for me: let a cell
In twilit shadow shelter me...
As in a grave—precociously...."

### II

And so Tamara's family
To a far convent brought their child,
And there in all humility
In hair-shirt rough the maiden mild
Enrobed her youthful breast.

Как под узо́рною * парчо́й,*
Всё беззако́нною мечто́й
В ней се́рдце би́лося,* как пре́жде.
Пред алтаре́м, при бле́ске свеч,
В часы́ торже́ственного пе́нья,
Знако́мая, среди́ моле́нья,
Ей ча́сто слы́шалася * речь.
Под сво́дом су́мрачного хра́ма
Знако́мый о́браз иногда́
Скользи́л без зву́ка и следа́
В тума́не лёгком фимиа́ма; *
Сия́л он ти́хо, как звезда́;
Мани́л и звал он... но — куда́?..


III

В прохла́де меж двумя́ холма́ми
Таи́лся * монасты́рь свято́й.
Чина́р * и тополе́й ряда́ми
Он окружён был — и поро́й,
Когда́ ложи́лась ночь в ущелье,
Сквозь них мелька́ла, в о́кнах ке́льи,
Лампа́да * гре́шницы младо́й.*
Круго́м,* в тени́ дере́в * минда́льных,
Где ряд стои́т кресто́в печа́льных,*
Безмо́лвных сторожей гробни́ц;
Спева́лись хо́ры лёгких птиц.
По ка́мням * пры́гали, шуме́ли
Ключи́ * студёною * волно́й,
И под нави́сшею скало́й,
Слива́ясь дру́жески в ущелье,
Кати́лись да́льше, меж кусто́в,
Покры́тых и́неем цвето́в.*


IV

На се́вер ви́дны бы́ли го́ры.
При бле́ске у́тренней Авро́ры,
Когда́ сине́ющий дымо́к
Кури́тся * в глубине́ доли́ны,
И, обраща́ясь на восто́к,
Зову́т к моли́тве муэци́ны,*
И зву́чный ко́локола глас *
Дрожи́т, оби́тель пробужда́я;

Yet in this harsh, monastic garb
Her troubled heart found no more rest
From dreams forbidden and debarred
Than clad in velvet or brocade.
Before the altar at the hour,
Of shining candles, solemn prayer,
Through the sweet chanting of the choir
Familiar speech would reach her ear
And there, beneath the cupola,
A well-known figure would appear
To glide by as the incense rose....
Soundless, he leaves no trace, but goes
Gleaming  before her like a star
Calling and beckoning afar
But whither? Ah, that no one knows.


## III

The holy convent was secluded
In a cool glen between two hills
By poplars and acacias ringed....
And, when the night sank weary-winged
To rest in the ravine, the grills
Of the young sister's cell would gleam
Out through their foliage fitfully.
Without, beneath the almond tree
In whose thin shade dark crosses brooded
Like silent watchers on the graves,
The merry birds made sweet conclaves
Of melody. The spring-cold streams
Leapt down from rock to rock, and sang,
Then merged beneath the overhang
To foam away in rapid rushes
Beneath the frosty-flowering bushes....


## IV

Way to the north there was a view,
A glimpse of mountains. At day's dawning,
When curling mists of smoky blue
Rose from the hollows of the hills,
And from his minaret the priest,
His face towards the brightening East,
Called all his flock to prayer at morning,
Then, too, the trembling resonance

В торжественный и мирный час,
Когда грузинка молодая
С кувшином длинным * за водой
С горы спускается крутой,
Вершины цепи снеговой
Светло-лиловою стеной
На чистом небе рисовались
И в час заката одевались
Они румяной пеленой;
И между них, прорезав тучи,
Стоял, всех выше головой,
Казбек, Кавказа царь могучий,
В чалме * и ризе * парчевой.

V

Но, полно думою преступной,
Тамары сердце недоступно
Восторгам чистым. Перед ней
Весь мир одет угрюмой тенью;
И всё ей в нём предлог * мученью —
И утра луч и мрак ночей.
Бывало, только ночи сонной
Прохлада землю обоймёт,*
Перед божественной иконой
Она в безумье упадёт
И плачет; и в ночном молчанье
Её тяжёлое рыданье
Тревожит путника вниманье;*
И мыслит он: «То горный дух
Прикованный в пещере стонет!»
И чуткий напрягая слух,
Коня измученного гонит.

VI

Тоской и трепетом полна,
Тамара часто у окна
Сидит в раздумье одиноком
И смотрит вдаль прилежным оком,
И целый день, вздыхая, ждёт...
Ей кто-то шепчет: он придёт!
Недаром сны её ласкали,
Недаром он являлся ей,

Of chapel bells awoke the cloister;
The solemn hour did but enhance
The stillness of the place, the calm....
Tamara at this hour came forth
Bearing a pitcher on one arm
And, treading where the mists grew lighter
Down the steep hillside stepped for water.
The snowy summits to the North
Showed violet against the sky
And flung a cloak of rosier dye
About their shoulders in the evening;
And there between them, upheaving
His head between the clouds, their Tsar,
Kazbek, in robes of silver weaving,
Towered up towards the polar star.


V

Yet, full of tainted thoughts, her mind
Is shuttered to such pure delights,
And all her heart is filled with night
The whole  world shadowed and unkind.
And morning ray and evening dark
Serve only to ignite the spark
Of further torment in her soul.
And, as the sweet, nocturnal cool
Over the thirsty earth came seeping,
Almost demented, she would fall
Before the sacred icon weeping;
And in the silence of the night
Her heavy sobbing would affright
The traveller upon his course;
"A mountain spirit", he'd surmise
"Bound in some cavern moaning lies!"
And hustle on his weary horse...


VI

So, filled with longing and unease,
Tamara would sit long and gaze
Engrossed in lonely meditation
All day, and sigh with expectation
Beside her window, staring out....
That he would come she had no doubt,
Why else then were her dreams so clear?
Why else then used he to appear

С глаза́ми, по́лными печа́ли,
И чу́дной не́жностью рече́й.
Уж мно́го дней она́ томи́тся,
Сама́ не зна́я почему́;
Святы́м захо́чет ли моли́ться —
А се́рдце мо́лится *ему́;*
Утомлена́ борьбо́й всегда́шней,*
Склони́тся ли на ло́же сна:
Поду́шка жжёт, ей ду́шно, стра́шно,
И вся, вскочи́в, дрожи́т она́;
Пыла́ют грудь её и пле́чи,
Нет сил дыша́ть, тума́н в оча́х,
Объя́тья жа́дно и́щут встре́чи,
Лобза́нья та́ют на уста́х...
. . . . . . . . . . . . . .
. . . . . . . . . . . . . .

## VII

Вече́рней мглы покро́в возду́шный
Уж хо́лмы * Гру́зии оде́л.
Привы́чке сла́достной послу́шный,
В оби́тель Де́мон прилете́л.
Но до́лго, до́лго он не сме́л
Святы́ню ми́рного прию́та
Нару́шить. И была́ мину́та,
Когда́ каза́лся он гото́в
Оста́вить у́мысел * жесто́кой.
Заду́мчив у стены́ высо́кой
Он бро́дит: от его́ шаго́в
Без ве́тра лист в тени́ трепе́щет.
Он по́днял взор: её окно́,
Озарено́ лампа́дой, бле́щет;
Кого́-то ждёт она́ давно́!
И вот средь о́бщего молча́нья
Чингу́ра [1] стро́йное бряца́нье *
И зву́ки пе́сни раздали́сь;
И зву́ки те лили́сь, лили́сь,
Как слёзы, ме́рно друг за дру́гом;
И э́та песнь была́ нежна́,
Как бу́дто для земли́ она́
Была́ на не́бе сложена́!

---

[1] Чингу́р — род гита́ры. (*Прим. М. Ю. Ле́рмонтова.*)

With eyes so infinitely sad
And speech so marvellously tender?
For many days on end she had
Been strangely moved—she knew not why....
She called the good saints to defend her
But in her heart she called on him;
And always, when the day grew dim,
Weary with staring she would lie
Down on her bed and try to sleep:
The pillow burnt her flaming cheek
Fear stifled her, she gasped for breath,
Then, from her pallet she would leap
With heaving shoulders, fevered breast
Trembling, a mist before her sight,
Her arms outstretched to clasp the night,
The kisses melting on her lips...
. . . . . . . . . . . . . . . .
. . . . . . . . . . . . . . .


# VII

The Georgian hills were scarcely veiled
In the transparent dusk of evening
Before the Demon downward sailed
Through the grey twilight wreathing
For long and long, though powerfully
The convent seemed to draw him, he
Could not make up his mind to break
That hallowed peace.... One moment more
And he was ready to forsake
His cruel intent. Beyond the door
He paced beneath the circling wall
Absorbed in thought. The shadowy leaves
Shook at his steps without a breeze
He raised his eyes: a quivering light
Throbbed from her window through the night.
So, she was waiting—and awake!
Through the soft silence all about
The chingar thrummed harmoniously
And over them a song rang out
A song that poured mellifluously
Like tears that fall in measure slow,
A song so tender that at times
It seemed as though in loftier climbes

139

Не а́нгел ли с забы́тым дру́гом
Вновь повида́ться захоте́л,
Сюда́ укра́дкою слете́л
И о было́м ему́ пропе́л,
Чтоб услади́ть его́ муче́нье?..
Тоску́ любви́, её волне́нье
Пости́гнул Де́мон в пе́рвый раз;
Он хо́чет в стра́хе удали́ться...
Его́ крыло́ не шевели́тся!..
И, чу́до! из поме́ркших глаз
Слеза́ тяжёлая кати́тся...*
Поны́не во́зле ке́льи той
Наскво́зь прожжённый ви́ден ка́мень
Слезо́ю жа́ркою, как пла́мень,
Нечелове́ческой слезо́й!..

## VIII

И вхо́дит он, люби́ть гото́вый,
С душо́й, откры́той для добра́,
И мы́слит он, что жи́зни но́вой
Пришла́ жела́нная пора́.
Нея́сный тре́пет ожида́нья,
Страх неизве́стности немо́й,
Как бу́дто в пе́рвое свида́нье
Спозна́лись * с го́рдою душо́й.
То бы́ло зло́е предвеща́нье!
Он вхо́дит, смо́трит — перед ни́м
Посла́нник ра́я, херуви́м,
Храни́тель гре́шницы прекра́сной,
Сто́ит с блиста́ющим чело́м
И от врага́ с улы́бкой я́сной
Приосени́л * её крыло́м;
И луч боже́ственного све́та
Вдруг ослепи́л нечи́стый взор,
И вме́сто сла́дкого приве́та
Разда́лся тя́гостный * уко́р:

## IX

«Дух беспоко́йный, дух поро́чный,
Кто звал тебя́ во тьме́ полно́чной?
Твои́х покло́нников здесь нет,
Зло не дыша́ло здесь поны́не;
К мое́й любви́, к мое́й святы́не
Не пролага́й престу́пный след.

It had been made for earth below.
Some angel, maybe, had descended
To seek a being he'd once befriended
To bring him secret consolation,
To ease his pain, past bliss recall.
Love's anguish and love's exaltation
Now held the Demon fast in thrall
For the first time; he would have flown
But his great wings were turned to stone!
A miracle! His eyes are dim
And down his cheek there rolls one tear....
Now, to this day, the stones still bear
The fiery traces of its falling...
A tear of flame, a trace appalling,
But not a human tear!

## VIII

And so he came, prepared to give
His heart in love, his soul to light.
He thought the time had come to live
A new life on this longed-for night.
As though at a first assignation
The proud soul felt a strange, shy thrill,
A shuddering, timid expectation:
It was a sign that boded ill!
He entered, looked around. Before him
The lovely sinner's Guardian stood,
Heaven's messenger, bright cherubim,
With smiling lips and brow of flame.
So, the fell enemy forestalling,
The brilliant spirit of the Good
Had gathered her beneath his wing.
The Demon looked for tender greeting—
But light divine upon him beating
And stern rebuke upon him came:

## IX

"Spirit of idleness and sin,
At this dark hour who called you? say!
You have no servants here within
These sacred walls, nor to this day
Has breath of evil visited
This charge of mine, to you forbid...."

Кто звал тебя?»
                              Ему в ответ
Злой дух коварно усмехнулся;
Зарделся * ревностию * взгляд;
И вновь в душе его проснулся
Старинной ненависти яд.
«Она моя! — сказал он грозно,—
Оставь её, она моя!
Явился ты, защитник, поздно,
И ей, как мне, ты не судья.
На сердце, полное гордыни,
Я наложил печать мою;
Здесь больше нет твоей святыни,
Здесь я владею и люблю!»
И Ангел грустными очами
На жертву бедную взглянул
И медленно, взмахнув крылами,
В эфире неба потонул.
. . . . . . . . . . . . . . . . . . .


## X

*Тамара*
    О! кто ты? речь твоя опасна!
Тебя послал мне ад иль рай?
Чего ты хочешь?..
*Демон*
              Ты прекрасна!
*Тамара*
Но молви, кто ты? отвечай...
*Демон*
    Я тот, которому внимала
Ты в полуночной тишине,
Чья мысль душе твоей шептала,
Чью грусть ты смутно отгадала,
Чей образ видела во сне.
Я тот, чей взор надежду губит;
Я тот, кого никто не любит;
Я бич * рабов моих земных,
Я царь познанья и свободы,
Я враг небес, я зло природы,
И, видишь,— я у ног твоих!
Тебе принёс я в умиленье
Молитву тихую любви,
Земное первое мученье
И слёзы первые мои.

142

Who called you?"—Subtly in reply
The Demon smiled but in him woke
The ancient hate of hell. His eye
Flashed fiery-jealous as he spoke
Upon the messenger divine:
"Leave her!" he said. "For she is mine!
Too late you came, good guardian—see
You are no judge of such as we
For her proud heart belongs to me.
No charge is she of powers above
Here I am lord, and here I love!—"
Sad-eyed, the angel bent his glance
Upon the evil spirit's prey
Then slowly flapped his great wings once
And through the ether soared away.

. . . . . . . . . . . . . . . . . . . . .

## X

*Tamara*
   Who are you? You are perilous
Say — are you come from heaven or hell?
What do you want?
*The Demon*
          What loveliness!
*Tamara*
But speak, who are you? You must tell.
*The Demon*
   I am he to whom you harkened
In the stillness of the night,
He whose thought your mind has darkened,
He whose sadness you have felt,
Whose image haunts your waking sight,
Whose name the end of hope has spelt
To every soul with whom I treat.
I am he no man may love,
A scourge to all my mortal slaves,
The ill in nature. Enemy
To Heaven and all the powers above.
Lord of knowledge, liberty.
And, as you see, I'm at your feet.
Moved beyond all that I have known
I would speak softly in your ears

143

О! выслушай — из сожаленья!
Меня добру и небесам
Ты возвратить могла бы словом.
Твоей любви святым покровом
Одетый, я предстал бы там,
Как новый ангел в блеске новом;
О! только выслушай, молю,—
Я раб твой,— я тебя люблю!
Лишь только я тебя увидел —
И тайно вдруг возненавидел
Бессмертие и власть мою.
Я позавидовал невольно
Неполной радости земной;
Не жить, как ты, мне стало больно,
И страшно — розно * жить с тобой.
В бескровном сердце луч нежданный
Опять затеплился * живей,
И грусть на дне старинной раны
Зашевелилася,* как змей.
Что * без тебя мне эта вечность?
Моих владений бесконечность?
Пустые звучные слова,
Обширный храм — без божества!

*Тамара*
    Оставь меня, о дух лукавый!
Молчи, не верю я врагу...
Творец...* Увы! я не могу
Молиться... гибельной отравой
Мой ум слабеющий объят!
Послушай, ты меня погубишь;
Твои слова — огонь и яд...
Скажи, зачем меня ты любишь!
*Демон*
    Зачем, красавица? Увы,
Не знаю!.. Полон жизни новой,
С моей преступной головы
Я гордо снял венец терновый,*
Я всё былое * бросил в прах: *
Мой рай, мой ад в твоих очах.
Люблю тебя нездешней страстью,
Как полюбить не можешь ты:
Всем упоением,* всей властью

144

Quiet prayers of love. Tell of my pain,
My first on earth, and my first tears.
Ah hear me out, for pity's sake!
One word from you would quite restore me.
Robed in the love of your pure heart
I might again resume my part
In the angelic ranks and take
An aspect new and a new glory.
Ah, hear me, hear me I implore you,
I am your slave and I adore you!
No sooner did I see you than
I felt a sudden, veiled revulsion
For immortality and power;
And I was drawn by strange compulsion
To envy the frail joys of man;
Life without you became a torment
To be apart from you—a horror.
A living ray of warmth, a portent
Of fair renewal touched my heart
And set the cold blood coursing. Sorrow
Beneath the scar stirred like a serpent
Awakening an ancient pain.
For, tell me, without you what gain
Is there in my infinity?
Endless dominion, majesty?
Loud, empty words—a spacious fane
Devoid of all divinity!
*Tamara*
      Leave me, false spirit of deceit
Be silent, for I will not trust
The Enemy. Ah God... some sweet
Insistent poison saps resolve—
I cannot say the prayer I must—
Your words are fire and I dissolve
And melt in them. I cannot see....
But say: how came you to love me?
*The Demon*
      How, lovely one?—I do not know,
My life is wondrous full and new,
The crown of thorns I proudly cast
With my own hands from off my brow.
All that I have been shattered lies:
My heaven and hell are in your eyes.
I love you with a passion vast.
You cannot love as I love you,
With all the ecstasy and power

Бессмертной мысли и мечты.
В душе моей, с начала мира,
Твой образ был напечатлён,*
Передо мной носился он
В пустынях вечного эфира.
Давно тревожа мысль мою,
Мне имя сладкое звучало;
Во дни блаженства мне в раю
Одной тебя недоставало.
О! если б ты могла понять,
Какое горькое томленье
Всю жизнь, века без разделенья
И наслаждаться и страдать,
За зло похвал не ожидать,
Ни за добро вознагражденья;
Жить для себя, скучать собой
И этой вечною борьбой
Без торжества, без примиренья!
Всегда жалеть и не желать,
Всё знать, всё чувствовать, всё видеть,
Стараться всё возненавидеть
И всё на свете презирать!..
Лишь только божие проклятье
Исполнилось, с того же дня
Природы жаркие объятья
Навек остыли для меня;
Синело предо мной пространство;
Я видел брачное убранство
Светил, знакомых мне давно...
Они текли в венцах из злата;
Но что же? прежнего собрата
Не узнавало ни одно.
Изгнанников, себе подобных,
Я звать в отчаянии стал,
Но слов и лиц и взоров злобных,
Увы! я сам не узнавал.
И в страхе я, взмахнув крылами,*
Помчался — но куда? зачем?
Не знаю... прежними друзьями
Я был отвергнут; как эдем,*
Мир для меня стал глух и нем.
По вольной прихоти теченья
Так повреждённая ладья *
Без парусов и без руля
Плывёт, не зная назначенья;
Так ранней утренней порой

Of deathless thought and dreams sublime.
Since the beginning of all time
Your image on the eternal air
Has gone before me—till this hour.
My soul has long been troubled by
The sweet sounds of the name you bear;
And in my days of blessedness
You were my only lack. If only
You could but understand the lonely
Embittered boredom of existence
When, century on century,
Alone in suffering and joy
In evil meeting no resistance,
For good receiving no reward,
Enclosed in self, by self most bored,
A never-ending war to wage
Past hope to triumph or destroy
Past hope of making peace again!
To pity where I would desire,
To know all things from age to age,
Seek hatred's all-consuming fire
And nought to find but cool disdain!
For since God's curse upon me came
All natural ardours have grown cold.
I saw my fellow-stars arrayed
In wedding garments as of old;
Through azure space before me flowing
They passed me by in crowns of flame;
And yet... of these, my one-time brothers,
Not one would recognise me now.
So, in despair, I called on others,
Outcasts like me, to join my growing
Battalions, but—I know not how—
In their embittered words and faces,
In their dark looks I in my turn
Knew no one. Then in terror I
Beat with my wings the earth to spurn
And launched myself into the sky,
And flew, and flew.... Whither? For why?
I do not know... By friends rejected,
Like those from Eden's gates ejected,
I saw the whole world pale and dim.
Abandoned to the current's whim,
Even so without a sail, may float
A rudderless and broken boat
Upon the surface of the sea

Отры́вок ту́чи громово́й,
В лазу́рной вышине́ черне́я,
Оди́н, нигде́ приста́ть не сме́я,
Лети́т без це́ли и следа́,
Бог весть * отку́да и куда́!
И я людьми́ недо́лго пра́вил,
Греху́ недо́лго их учи́л,
Всё благоро́дное бессла́вил,
И всё прекра́сное хули́л; *
Недо́лго... пла́мень чи́стой ве́ры
Легко́ наве́к я за́лил * в них...
А сто́или ль трудо́в мои́х
Одни́ глупцы́ да лицеме́ры?
И скры́лся я в уще́льях гор;
И стал броди́ть, как метео́р,
Во мра́ке по́лночи глубо́кой...
И мча́лся пу́тник одино́кой,
Обма́нут бли́зким огонько́м,
И в бе́здну * па́дая с конём,
Напра́сно звал — и след крова́вый
За ни́м вился́ * по крутизне́...
Но зло́бы мра́чные заба́вы
Недо́лго нра́вилися мне! *
В борьбе́ с могу́чим урага́ном,
Как ча́сто, подыма́я * прах,
Оде́тый мо́лньей * и тума́ном,
Я шу́мно мча́лся в облака́х,
Что́бы в толпе́ стихи́й мяте́жной
Серде́чный ро́пот заглуши́ть,
Спасти́сь от ду́мы неизбе́жной
И незабве́нное забы́ть!
Что * по́весть тя́гостных лише́ний,
Трудо́в * и бед толпы́ людско́й
Гряду́щих, про́шлых поколе́ний,
Перед мину́тою одно́й
Мои́х непри́знанных муче́ний?
Что лю́ди? что их жизнь и труд?
Они́ прошли́, они́ пройду́т...
Наде́жда есть — ждёт пра́вый суд:
Прости́ть он мо́жет, хоть осу́дит!
Моя́ ж печа́ль бессме́нно тут,
И ей конца́, как мне, не бу́дет;
И не вздремну́ть в моги́ле ей!
Она́ то ла́стится, * как змей,
То жжёт и пле́щет, бу́дто пла́мень,
То да́вит мысль мою́, как ка́мень —

Knowing nor course nor destiny;
So, in the early morning hour,
Abandoned by some passing shower
Of thunderous rain, a lonely cloud
Black through the azure heights of heaven
May wander lost without a haven
Leaving no trace upon the ether
God only knows from whence—or whither!
For a short while myself I vowed
To teaching sin and spreading doubt
Of all things noble, all things fair.
But not for long ... mankind I wrenched
Too easily to my fell will.
The flame of faith, too easy quenched,
Left me triumphant, but without
An object worthy of my skill.
To mislead hypocrites and fools...
What profit was there for me there?
I hid away in mountains far
And wandered like a displaced star
In lonely, never ending flight:
And when some traveller belated
Would follow, deeming me a light
In some near dwelling; I would lead
Him to the cliff-edge ... hear the hated
Voice call up from the abyss...
And leave him—and his horse—to bleed....
Yet all too soon I tired of this
And other spiteful, sombre sports!
How often, raising storms of stones,
And, clad in mists and lightening,
I would go hurtling through the cloud
To cow the spirit of the crowd,
Rebellious upshoots frightening,
Drowning their murmuring in my groans,
Seeking escape from pursuant thoughts,
Seeking to expunge from memory
Things that may not forgotten be!
What is the tale of miseries,
The labours and the pains of man
Throughout the passing centuries,
Compared to but one minute's span
Of my great, unacknowledged anguish?
What of mankind?—their works and sorrow?
Here today—and gone tomorrow....
Then—they have hope in judgement just;

Надежд погибших и страстей
Несокрушимый мавзолей!..

Тамара

Зачем мне знать твои печали,
Зачем ты жалуешься мне?
Ты согрешил...

Демон

      Против тебя ли?

Тамара

Нас могут слышать!..

Демон

   Мы одне.*

Тамара

А бог!

Демон

     На нас не кинет взгляда:
Он занят небом, не землёй!

Тамара

А наказанье, муки ада?

Демон

Так что ж? Ты будешь там со мной!

Тамара

    Кто б ни был ты, мой друг случайный,—
Покой навеки погубя,
Невольно я с отрадой * тайной,
Страдалец, слушаю тебя.
Но если речь твоя лукава,
Но если ты, обман тая...*
О! пощади! Какая слава?
На что душа тебе моя?
Ужели небу я дороже
Всех, не замеченных тобой?
Они, увы! прекрасны тоже;
Как здесь, их девственное ложе
Не смято смертною рукой...
Нет! дай мне клятву роковую...
Скажи,— ты видишь: я тоскую;
Ты видишь женские мечты!

He may forgive, although He must
At first condemn them. I shall languish
Unshriven throughout eternity....
My torment has no end, like me,
And, deathless, it must ever wake,
Now creeping closer like a snake,
Now caustic, burning to the bone,
Now dull and heavy like a stone—
To live—the everlasting tomb
Of hope and passion is my doom!...

*Tamara*

What part have I in all this wild
And sorry tale? Why should I own
To pity? You have sinned....

*Demon*

    My child, against you?

*Tamara*

Hush!

*Demon*

    We are alone.

*Tamara*

And God!

*Demon*

    Will not spare us a thought
Heaven, not earth, is his first care.

*Tamara*

The pains of hell, as we are taught?

*Demon*

    What of them? I'll be with you there!

*Tamara*

    Who e'er you are, my chance-met friend,
You, who have stolen my peace of mind,
Reluctantly, yet deeply moved,
I hear how you have suffered, loved...
Yet if you speak but to mislead
Yet if you lie—in part or whole—
Have mercy on me—For what need
Can you have of my maiden soul?
Surely 'tis not to heaven more dear
Than all those you have overlooked.
They too are beautiful and pure...
As here, no mortal hand was brooked
Their chaste couch to contaminate....
No! Swear to me a binding oath...
But say,—you see it all; how, loth
To cleanse the sweet fear from my heart,

Невольно страх в душе ласкаешь...
Но ты всё понял, ты всё знаешь —
И сжалишься, конечно, ты!
Кляни́ся * мне... от злых стяжаний *
Отре́чься * ныне дай обет.*
Ужель * ни клятв, ни обещаний
Ненарушимых больше нет?..


*Демон*

Кляну́сь я первым днём творенья,
Кляну́сь его последним днём,
Кляну́сь позором преступленья
И вечной правды торжеством.
Кляну́сь паденья горькой мукой,
Победы краткою мечтой;
Кляну́сь свиданием с тобой
И вновь грозящею разлукой.
Кляну́ся сонмищем * духов,*
Судьбою братий мне подвластных,
Мечами ангелов бесстрастных,
Моих недремлющих врагов;
Кляну́ся небом я и адом,
Земной святыней и тобой,
Кляну́сь твоим последним взглядом,
Твоею первою слезой,
Незлобных уст твоих дыханьем,
Волною шёлковых кудрей,
Кляну́сь блаженством и страданьем,
Кляну́сь любовию моей:
Я отрекся * от старой мести,
Я отрекся от гордых дум;
Отныне яд коварной лести
Ничей уж не встревожит ум;
Хочу я с небом примириться,
Хочу любить, хочу молиться,
Хочу я веровать добру.
Слезой раскаянья сотру
Я на челе, тебя достойном,
Следы небесного огня —
И мир в неведенье спокойном
Пусть доцветает без меня!
О! верь мне: я один поныне
Тебя постиг и оценил:
Избрав тебя моей святыней,
Я власть у ног твоих сложил.

I dream as women will; and start
Again in fear that you know all....
You have seen all and understood
And surely must be merciful!
Come, swear to me to leave behind
All evil wishes from this hour
Are there no oaths of lasting power,
No sacred promises you could
Swear to me now that should you bind?
*Demon*

By the first day of the creation
And by its latest day I swear,
By God's law and its violation
The triumph of eternal truth,
The bitter shame of sin I bear;
By the brief glory of this dream
I swear, and by our meeting here
And by the threat of separation;
I swear by all the spirit hosts
Whom Fate has set at my command,
On swords divine I take my oath
As wielded by my enemies
The impassive, sleepless angel band;
I swear by you, your life, your death,
Your last, long look and your first tear,
The gentle drawing of your breath,
The silken torrents of your hair;
I swear by suffering and bliss,
I swear even by this love of ours,—
I have renounced all vengefulness
I have renounced the pride of years;
From this day forth no false temptation
Will rise to trouble any soul;
I look for reconciliation,
I look for love, for adoration,
I look for faith in Higher Good.
And by a tear of true contrition
I'll wipe away the fiery trace
Of wroth divine from off a face
More worthy of you. May the whole
Wide world in calm rusticity
Bloom on, all unaware of me!
Believe me, I alone have vision
To love you: I have understood
Your greatness as no other could:
You are my holy one. This day

Твоей любви я жду как дара,
И вечность дам тебе за миг;
В любви, как в злобе, верь, Тамара,
Я неизменен и велик.

Тебя я, вольный сын эфира,
Возьму в надзвёздные края;
И будешь ты царицей мира,
Подруга первая моя;

Без сожаленья, без участья
Смотреть на землю станешь ты,
Где нет ни истинного счастья,
Ни долговечной красоты,
Где преступленья лишь да казни,
Где страсти мелкой только жить;
Где не умеют без боязни
Ни ненавидеть, ни любить.
Иль ты не знаешь, что такое
Людей минутная любовь?
Волненье крови молодое, —
Но дни бегут и стынет кровь!
Кто устоит против разлуки,
Соблазна новой красоты,
Против усталости и скуки
И своенравия мечты?
Нет! не тебе, моей подруге,
Узнай, назначено судьбой
Увянуть молча в тесном круге
Ревнивой грубости рабой,*
Средь малодушных и холодных,
Друзей притворных и врагов,
Боязней и надежд бесплодных,
Пустых и тягостных трудов!
Печально за стеной высокой
Ты не угаснешь без страстей,
Среди молитв, равно далёко
От божества и от людей.
О нет, прекрасное созданье,
К иному ты присуждена; *
Тебя иное ждёт страданье,
Иных восторгов глубина;
Оставь же прежние желанья
И жалкий свет * его судьбе:
Пучину * гордого познанья
Взамен * открою я тебе.
Толпу духов моих служебных
Я приведу к твоим стопам;

154

My power at your feet I lay.
And for your love one moment long
I'll give you all eternity.
For I am changeless, true and strong
In love as in malignity
Free spirit of the air, I'll bear you
High up above the stars to where you
Will reign in splendour as my queen,
Tamara, first love of my dream,
And you will come to look on earth
Without regret, without compassion
Unhappy planet, with its dearth
Of lasting beauty, with its fashion
For petty sentiments, small minds,
Where crime and executions grind
Their everlasting wheel of fear:
Men fear to love and fear to hate.
Or know you not what love is here?
The seething of young blood in spate—
But days go by and blood grows cold!
Who can resist the long temptation
Of boredom, change and novelty?
What love can outlive separation
Or rival dream's variety?
No! Not for *my* love to grow old
And fade in silence in the crude
Society of jealous slaves
Amidst ungenerous and cold
Pretended friends and real foes,
Burdened by useless works and rude
Endeavours, empty hopes and fears!
Your fate is not to wither here,
And, passionless, your soul to save
Behind these walls, a scentless rose
Unopened by the honey bee
And dull to the Divinity.
Ah no! My lovely one, your morrow
Is marked by different destiny,
A different depth of ecstasy,
A different scale of sorrow;
Leave then your former thoughts, desires
And leave the poor world to its fate.
Then, in return, you may aspire
To enter realms of knowledge true,
And there I shall present to you
The hosts of beings subordinate

Прислу́жниц лёгких и волше́бных
Тебе́, краса́вица, я дам;
И для тебя́ с звезды́ восто́чной
Сорву́ вене́ц я золото́й;
Возьму́ с цвето́в росы́ полно́чной;
Его́ усы́плю той росо́й;
Лучо́м румя́ного зака́та
Твой стан, как ле́нтой, обовью́,
Дыха́ньем чи́стым арома́та
Окре́стный * во́здух напою́;
Всеча́сно * ди́вною игро́ю
Твой слух леле́ять бу́ду я;
Черто́ги пы́шные постро́ю
Из бирюзы́ и янтаря́;
Я опущу́сь на дно́ морско́е,
Я полечу́ за облака́,
Я дам тебе́ всё, всё земно́е —
Люби́ меня́!..

## XI

И он слегка́
Косну́лся жа́ркими уста́ми
Её трепе́щущим губа́м; *
Собла́зна по́лными реча́ми
Он отвеча́л её мольба́м.
Могу́чий взор смотре́л ей в о́чи!
Он жёг её. Во мра́ке но́чи
Над не́ю пря́мо он сверка́л,
Неотрази́мый, как кинжа́л.
Увы́! злой дух торжествова́л!
Смерте́льный яд его́ лобза́нья *
Мгнове́нно в грудь её прони́к.
Мучи́тельный, ужа́сный крик
Ночно́е возмути́л * молча́нье.
В нём бы́ло всё: любо́вь, страда́нье,
Упрёк с после́днею мольбо́й
И безнадёжное проща́нье —
Проща́нье с жи́знью молодо́й.

## XII

В то вре́мя сто́рож полуно́чный,
Оди́н вокру́г стены́ круто́й
Сверша́я ти́хо путь уро́чный, *

Unto my will to serve your needs,
Light-handed, magical attendants
And from the morning star for you
I'll tear the crown of gold one night,
Take from the flowers the midnight dew
And shake the drops in showers bright
To make the crown resplendent.
The sunset's glowing ray I'll weave
To wind about you like a sheath;
I'll fill the air about us two
With freshness and delicious scent;
And constantly your ear I'll woo
With sweet sounds from soft instruments;
Of turquoise and of amber I
Shall build delightful halls for you,
I shall go soaring to the sky
Sink to the bottom of the sea—
All you could wish for I shall give
But love me...."

## XI

And most gently he
Did touch his burning lips to hers;
Full of seduction were the words
In which he soothed her soft repining;
His mighty gaze held fast her eyes
And burnt her.—In the cloistered shade
He glinted poised above her, shining,
Inevitable as a blade.
The evil spirit overcomes her.
His kiss, like deadly poison, numbs her
And stills the heart within her breast.
One terrified and anguished cry
Aroused the silent night from rest.
It was a last, a desperate plea
Yet full of love, live agony,
Hopeless farewell, finality...
To her young life a last good-bye.

## XII

The midnight watchman on his rounds
His hand upon his iron gong
Beneath the high wall passed along

157

Бродил с чугунною доской,*
И возле кельи девы юной
Он шаг свой мерный укротил *
И руку над доской чугунной,
Смутясь душой, остановил.
И сквозь окрестное молчанье,
Ему казалось, слышал он
Двух уст согласное лобзанье,
Минутный крик и слабый стон.
И нечестивое сомненье *
Проникло в сердце старика...
Но пронеслось ещё мгновенье,
И стихло всё; издалека
Лишь дуновенье ветерка
Ропотанье листьев приносило,
Да с тёмным берегом уныло
Шепталась горная река.
Канон угодника святого
Спешит он в страхе прочитать,
Чтоб наважденье * духа злого
От грешной мысли отогнать;
Крестит дрожащими перстами
Мечтой взволнованную грудь
И молча скорыми шагами
Обычный продолжает путь.

. . . . . . . . . . . . . . . . . . . . . . . . . . . . . .

## XIII

Как пери * спящая мила,
Она в гробу своём лежала,
Белей и чище покрывала
Был томный цвет её чела.
Навек опущены ресницы...
Но кто б, о небо! не сказал,
Что взор под ними лишь дремал
И, чудный, только ожидал
Иль поцелуя, иль денницы?
Но бесполезно луч дневной
Скользил по ним струёй златой,
Напрасно их в немой печали
Уста родные целовали...
Нет! смерти вечную печать
Ничто не в силах уж сорвать!

His path appointed, paused and found
His mind in turmoil. What was this?
From the high windows of her cell
It seemed he heard a willing kiss,
A sudden cry, a groan suppressed....
Impious doubts rose in his breast
And the old man stood listening, ready
To sound the alarm. But silence fell
All round him. He could hear the steady
Rustling of leaves borne by the wind
And, from the shingle, clear but faint,
The mountain rivers' soft complaint.
He hastened to recall to mind
The prayers prescribed against illusions
And diabolical delusions;
Then crossed himself with trembling fingers
The last, luxurious dreams to lay
And, fearing longer there to linger,
With quickened pace strode on his way.

. . . . . . . . . . . . . . . . . . . .

## XIII

As lovely as a Peri-sprite,
Tamara on her death bed rested.
Her brow was purer and more white
Than the chaste veil in which they vested
Their novice, so untimely dead.
The lashes were forever lowered
Yet who, oh God, would not have said
The eyes beneath them did but sleep,
Awaiting but the kiss empowered
To wake them from enchanted rest
Or but to feel the day-star peep?
Yet all in vain the sun caressed
Them with its golden, glowing beams;
Her fathers' kiss, his silent sorrow,
Could not awake her from her dreams....
No, none can break the seal of death
Nor give eternal night a morrow!

Ни ра́зу не́ был в дни весе́лья
Так разноцве́тен и бога́т
Тама́ры пра́здничный наря́д.
Цветы́ роди́мого уще́лья
(Так дре́вний тре́бует обря́д)
Над не́ю льют свой арома́т
И, сжа́ты мёртвою руко́ю,
Ка́к бы проща́ются с землёю!
И ничего́ в её лице́
Не намека́ло о конце́ *
В пылу́ страсте́й и упое́нья; *
И бы́ли все её черты́
Испо́лнены той красоты́,
Как мра́мор, чу́ждой выраже́нья,
Лишённой чу́вства и ума́,
Таи́нственной, как смерть сама́.

Улы́бка стра́нная застыла,
Мелькну́вши по её уста́м.
О мно́гом гру́стном говори́ла
Она́ внима́тельным глаза́м:
В ней бы́ло хла́дное презре́нье
Души́, гото́вой отцвести́,
После́дней мы́сли выраже́нье,
Земле́ беззву́чное прости́.
Напра́сный о́тблеск жи́зни пре́жней,
Она́ была́ ещё мертве́й,
Ещё для се́рдца безнадежней
Наве́к уга́снувших оче́й.
Так в час торже́ственный зака́та,
Когда́, раста́яв в мо́ре зла́та, *
Уж скры́лась колесни́ца дня,
Снега́ Кавка́за, на мгнове́нье
Отли́в румя́ный сохраня́,
Сия́ют в тёмном отдале́нье.
Но э́тот луч полуживо́й
В пусты́не о́тблеска не встре́тит,
И путь ниче́й он не освети́т
С свое́й верши́ны ледяно́й!..

# XIV

Never, in days of happiness
Was the poor maid so richly clad,
So festive and so bright her dress....
Such was the custom of her land.
Flowers from her native valley breathed
Their scent around her and she had
Clasped them so tight in her dead hand
As though yet to this earth she cleaved!
No hint was there in her still face
Of how she met her end—in ardent
Intoxication, fatal passion.
But rather seemed she of a race
Apart, the lovely features carven
Of marble, void of mind or feeling,
Expressionless, all fire concealing,
Mysterious as death itself.
About her lips there frozen dwelt
A strange smile, fixed even as it passed.
To those who looked in careful fashion
Unhappy was the tale it told:
A smile contemptuous and cold
As of a soul prepared to wither
And silently to bid a last
Farewell to all things of this hither
World, the last reflection
Of her last thought, vain recollection
Of all her life before, more dead
Than those eternally closed eyes;
To those who stood about her bed
Still more conducive to despair.
So, at the solemn sunset hour
When, melting in the golden air,
Day's chariot already flies
Into the Western seas to plummet,
For a brief instant yet his power
Dwells on the mountain tops, whose snow
Reflects a rosy, living glow
That gleams on through the distant dark.
Yet weak and fading is that ray,
And from its distant, ice-bound summit
To guide the traveller on his way
It can awake no answering spark!...

Толпо́й сосе́ди и родны́е
Уж собрали́сь в печа́льный путь.
Терза́я ло́коны седы́е,
Безмо́лвно поража́я грудь,
В после́дний раз Гуда́л сади́тся
На белогри́вого коня́,
И по́езд * тро́нулся. Три дня,
Три но́чи путь их бу́дет дли́ться:
Меж ста́рых де́довских косте́й
Прию́т поко́йный вы́рыт ей.
Оди́н из пра́отцев Гуда́ла,
Граби́тель стра́нников и сёл,
Когда́ боле́знь его́ скова́ла
И час раска́янья пришёл,
Грехо́в мину́вших в искупле́нье
Постро́ить це́рковь обеща́л
На вышине́ грани́тных скал,
Где то́лько вью́ги слы́шно пе́нье,
Куда́ лишь ко́ршун залета́л.
И ско́ро меж снего́в Казбе́ка
Подня́лся одино́кий храм,
И ко́сти зло́го челове́ка
Вновь успоко́илися там;
И преврати́лася в кладби́ще
Скала́, родна́я облака́м:
Как бу́дто бли́же к небеса́м
Тепле́й посме́ртное жили́ще?..
Как бу́дто да́льше от люде́й
После́дний сон не возмути́тся...
Напра́сно! мёртвым не присни́тся
Ни гру́сть, ни ра́дость про́шлых дней.

XVI

В простра́нстве си́него эфи́ра
Оди́н из а́нгелов святы́х
Лете́л на кры́льях золоты́х,
И ду́шу гре́шную от ми́ра
Он нёс в объя́тиях свои́х.
И сла́дкой ре́чью упова́нья *
Её сомне́нья разгоня́л,

The mourning kinsfolk and the crowd
Of neighbours are foregathered now.
Tearing the gray locks on his brow
Old Gudáal scorns to weep aloud
But silently mounts his great horse
And the procession takes the road.
Three days, three nights they hold their course
And then at last set down their load
Amidst her ancestors' remains.
Old Gudáal's forefather, they say,
A brigand whose ill-gotten gains
Disturbed his conscience, when one day
He was struck down by dread disease,
Had thought the memory to ease
Of his past sins by doing penance;
So he had promised in the presence
Of witnesses to build a church
Upon a lofty, granite perch
High in the hills where no sound came
Except the singing of the storm,
A fitting nest for kites and crows.
And soon amidst the Kazbek snows
A solitary temple rose,
And there the villain with his bones
Did finally inter his shame.
So was this cloud-capped rock transformed
Into a graveyard for his kin.
As though the nearer to the sky,
The warmer after death we lie?
As though the further from the din
Of life the sounder we should sleep...?
Vain hope! For dead men may not keep,
Even in dreams, the memory
Of joy or tears in days gone by....


## XVI

Winging through heaven's spaces blue,
A holy angel golden-pinioned
Bearing her sinful spirit flew
Towards the Father's high dominions.
And, cradling her in mighty arms,
With words of hope dispelled her doubt
And washed the traces of alarm

И след просту́пка и страда́нья
С неё слеза́ми он смыва́л.
Издалека́ уж зву́ки ра́я
К ним доноси́лися — как вдруг,
Свобо́дный путь пересека́я,
Взви́лся из бе́здны а́дский дух.
Он был могу́щ, как ви́хорь шу́мный,
Блиста́л, как мо́лнии струя́,
И го́рдо в де́рзости безу́мной
Он говори́т: «Она́ моя́!»

    К груди́ храни́тельной прижа́лась,
Моли́твой у́жас заглуша́,
Тама́ры гре́шная душа́.
Судьба́ гряду́щего реша́лась,
Пред не́ю сно́ва он стоя́л,
Но, бо́же! — кто б его́ узна́л?
Каки́м смотре́л он зло́бным взгля́дом,
Как по́лон был смерте́льным я́дом
Вражды́, не зна́ющей конца́,—
И ве́яло моги́льным хла́дом *
От неподви́жного лица́.
«Исче́зни, мра́чный дух сомне́нья! —
Посла́нник не́ба отвеча́л: —
Дово́льно ты торжествова́л;
Но час суда́ тепе́рь наста́л —
И бла́го бо́жие реше́нье!
Дни испыта́ния прошли́;
С оде́ждой бре́нною земли́
Око́вы зла с неё ниспа́ли!
Узна́й! давно́ её мы жда́ли!
Её душа́ была́ из тех,
Кото́рых жизнь — одно́ мгнове́нье
Невыноси́мого муче́нья,
Недосяга́емых уте́х:
Творе́ц из лу́чшего эфи́ра
Сотка́л живы́е стру́ны их,
Они́ не со́зданы для ми́ра,
И мир был со́здан не для них!
Цено́й жесто́кой искупи́ла
Она́ сомне́ния свои́...
Она́ страда́ла и люби́ла —
И рай откры́лся для любви́!»

    И Ангел стро́гими оча́ми
На искуси́теля взгляну́л

And all transgression with his weeping.
The music of the spheres rang out
From Heaven to meet them as they rose
When, from the nether regions sweeping,
Came the infernal spirit hurtling
Between them and their goal divine....
And mighty was he as the whirlwind
Shot through with lightnings. Insolence
Consumed him and mad arrogance
With certainty he claimed her. "Mine!"

Circled by the strong arms which bore her,
Tamara's sinful soul shrank close
To the protecting angel's side
Seeking in prayer her fear to hide.
Now, once again, *he* stood before her
But—Heavens! Who would know him now?
His gaze so brooding and morose
So venomous with hate eternal...
It seemed a death-like cold infernal
Lay on that frozen face and brow.
"Spirit of darkness, get thee gone!"
Heaven's messenger then made reply:—
"The victory has been yours for long
Enough, and now the end is nigh.
Just is the judgement of the Lord!
The days of trial are over, past:
With the frail flesh, know, she has cast
Off all the claims of evil too!
For long now we have waited for her:
Her soul was of those very few
Who at the price of martyr's pain
Endured one moment long attain
To lasting joy beyond compare.
The Maker span its living thread
Out of the finest, purest air
Not for the dull world was she made
No more that it was made for her.
She has redeemed at cruel price
Her wavering faith in powers above.
She suffered, loved, laid down her life—
And Heaven opened to her love!"

The angel bent his gaze severe
Upon the Tempter, eye to eye,

И, радостно взмахнув крылами,
В сиянье неба потонул.
И проклял Демон побеждённый
Мечты безумные свои,
И вновь остался он, надменный,
Один, как прежде, во вселенной
Без упованья и любви!..

———————

На склоне каменной горы
Над Койшаурскою долиной
Ещё стоят до сей поры
Зубцы развалины старинной.
Рассказов, страшных для детей,
О них ещё преданья полны...
Как призрак, памятник безмолвный,
Свидетель тех волшебных дней,
Между деревьями чернеет.
Внизу рассыпался аул,*
Земля цветёт и зеленеет;
И голосов нестройный гул
Теряется, и караваны *
Идут, звеня, издалека,
И, низвергаясь сквозь туманы,
Блестит и пенится река.
И жизнью вечно молодою,
Прохладой, солнцем и весною
Природа тешится шутя,
Как беззаботная дитя.

Но грустен замок, отслуживший
Года во очередь свою,
Как бедный старец, переживший
Друзей и милую семью.
И только ждут луны восхода
Его незримые жильцы:
Тогда им праздник и свобода!
Жужжат, бегут во все концы.
Седой паук, отшельник новый,
Прядёт сетей своих основы;
Зелёных ящериц семья
На кровле весело играет;
И осторожная змея

Then joyful soared ... to disappear
Into the boundless, shining sky.
The Demon watched the heating wings
Fading triumphantly from sight
And cursed his dreams of better things,
Doomed to defeat, venting his spite
And arrogance in that great curse....
Alone in all the universe,
Abandoned, without love or hope!...

———————

Now, on the rocky mountain slope
Above the valley of Koyshaur
An ancient ruin's standing still
A broken-fanged, stony tower.
Tales hang thereby to send a chill
Down childish spines. A glimpse half-seen
Of bygone, legendary times,
Amongst the trees the silent pile
Shows black and menacing. Meanwhile
The aul, the mountain village, straggles
Beneath it and the earth is green,
The passing merchant loudly haggles,
The voices mingle with the chimes
Of camel-bells from caravans
That journey on from distant lands;
And through the mists the waterfall
Foams glittering down the rocky wall,
And nature glories laughingly,
As sportive as a carefree child,
In life renewed eternally,
In sun and shade and springtime wild.

Only the castle has outlasted
Its count of years and sadly ends
Its lonely days—a patriarchal
Old man who has outlived his friends
And family. Its inmates wait
In hiding for the moon to rise:
Then they hold feast, do as they will:
They run and buzz from gate to gate....
Then the grey spider, with slow skill,
Spins out her silken hermitage.
The lizards green beneath the skies
Play on the slates right merrily
And, cautiously, the serpent sage

Из тёмной щели выползает
На плиту старого крыльца,
То вдруг совьётся в три кольца,
То ляжет длинной полосою
И блещет, как булатный меч,
Забытый в поле давних сеч,
Ненужный падшему герою!..
Всё дико; нет нигде следов
Минувших лет: рука веков
Прилежно, долго их сметала,
И не напомнит ничего
О славном имени Гудала,
О милой дочери его!

Но церковь на крутой вершине,
Где взяты кости их землёй,
Хранима властию святой,
Видна меж туч ещё поныне.
И у ворот её стоят
На страже чёрные граниты,
Плащами снежными покрыты;
И на груди их вместо лат *
Льды вековечные горят.
Обвалов сонные громады
С уступов, будто водопады,
Морозом схваченные вдруг,
Висят, нахмурившись, вокруг.
И там метель дозором ходит,
Сдувая пыль со стен седых,
То песню долгую заводит,
То окликает часовых;
Услыша вести в отдаленье
О чудном храме, в той стране,
С востока облака одне
Спешат толпой на поклоненье;
Но над семьёй могильных плит
Давно никто уж не грустит.
Скала угрюмого Казбека
Добычу жадно сторожит,
И вечный ропот человека
Их вечный мир не возмутит.

Creeps from his cranny dark to crawl
Along the ancient porch's wall.
Now suddenly he twirls and twists
His body into three bright rings,
And now his supple brilliance slings
Into a straight, a steely rod
A lance left lying by the lists,
A dead man's sword—unmarked, unmissed
Unwanted now and quite forgot.
All has run wild, no trace is left
Of bygone years; the hand of time
Cautiously, carefully has swept
Them all away: The glorious prime
Of Gudáal—vanished without token.
His daughter's name no longer spoken!

Only the Church on its sheer height
Where the scant earth once took their bones
Preserved by some sacred might
Is guarded by black standing stones
Of granite, sentinels unarmoured
Save for th'eternal ice which glows
Like mail upon their fronts, their shoulders
Draped in heavy cloaks of snows.
And frowning avalanches brood
On the steep slopes, each frozen flood
Like some vast, frosted waterfall.
The howling wind keeps sentry-go
Blowing the snow-dust from the wall,
Now checks the watch, calling the roll,
Now singing songs sad, long and low;
And far and wide the church is known
In all the lands—a holy wonder:
And yet the orient clouds alone
Flock round to worship at the shrine
And yet upon the stones, whereunder
Tamara and her kin still sleep,
No weeping pilgrims sit and pine
Only the sullen mountain bent
Above them vigilance does keep:
That man's eternal discontent
Might not break in upon their slumber.

# LIST OF ABBREVIATIONS

*adj*., adjective
*affect*., affectionate
*coll*., colloquial
*comp*., comparative (degree)
*dim*., diminutive
*elev*., elevated (style)
*fig*., figurative

*folk*., folklore
*hist*., history
*obs*., obsolete
*phras*., phraseology
*poet*., poetical
*pop*., popular (speech)
*usu*., usually

# NOTES

## Балла́да      Ballad
### (В избу́шке по́зднею поро́ю)

избу́шка, *dim. of* изба́, peasant cottage
по́зднею поро́ю, late in the evening
лю́лька *(pop.)*, cradle
чу́ешь *(coll.)*, you feel (it in your heart)
по́лно *(coll.)*, don't!
утра́чу, I shall lose
про́тив тата́р, against the Tatars, i.e., against the Mongol-Tatar invasion in the 13th century
була́т, damask steel sword
би́тва, battle
не в си́лах, you cannot
страх цепе́й, the fear of fetters (i.e., loss of freedom)
Их жре́бий за́висти досто́ин, Their lot is to be envied; жре́бий, *here:* lot
брада́ *(obs.)* = борода́, beard
ла́ты *(hist.)*, armour
порабощён, is conquered by the enemy
меч, sword
орда́, *here:* the Mongol-Tatar Horde
па́ли, *here:* have fallen
сме́ртию *(obs.)*, = сме́ртью, death

## Ангел      The Angel

ме́сяц, moon
внима́ли *(obs.)*, listened to (his song)
духо́в = ду́хов, of ... spirits
ку́щи *(obs., poet.)*, foliage
младу́ю *(obs.)* = молоду́ю, young (soul)
томи́лась, it languished

## Нет, я не Ба́йрон... "Not Byron—of a Different Kind..."

неве́домый, unknown
ра́не *(obs.)* = ра́нее, ра́ньше, earlier

## Па́рус      The Sail

в тума́не мо́ря голубо́м *(inversion)* = в голубо́м тума́не мо́ря, in the blue mist of the sea
сча́стие *(obs.)* = сча́стье, happiness
лазу́рь, azure

сква́жина, *here:* fingerhole (in a pipe)
ра́ннюю моги́лу Безбо́жно я звала́, I pined for an early grave
обма́нывал, *here:* seduced
честны́х *(obs.)* = че́стных, honest
раз *(pop.)*, once
на́ берег *(folk.)* = на бе́рег, to the bank
си́ни *(folk.)* = си́ние, blue
за́пад золото́й, *here:* sunset
взошёл, *here:* grew up
младáя *(obs.)* = молодáя, young
не в си́лах *(phras.)*, you cannot

## Русáлка     The Mermaid

мерцáние, glimmer, shimmering
златы́е *(obs.)* = золоты́е, golden
ви́тязь *(obs.)*, knight
ви́тязь чужо́й стороны́, foreign knight
шелко́вый *(folk.)* = шёлковый, silken
чело́ *(obs., poet.)*, forehead
устá *(obs., poet.)*, lips
в полу́денный час, at noon
лобзáнья *(obs.)*, kisses
зачéм *(coll.)*, why
хлáден *(obs.)* = хóлоден, cold
нем, dumb
пéрси *(obs.)*, breast

## Смерть поэ́та     On the Death of the Poet

Поэ́т, the reference is to Alexander Pushkin (1799-1837). He was
    mortally wounded in a duel with the Frenchman Dantès, who serv-
    ed at the time in a Guards regiment (banished from Russia after
    the duel)
нево́льник че́сти, a slave to honour; Pushkin fought the duel in
    order to protect his wife from the attentions of Dantès
пал, fell
молвá, rumour; Pushkin actually called out Dantès to stop a
    slander campaign mounted by St.Petersburg society
свет, *here:* aristocratic society
потéха *(coll.)*, amusement
чуть затаи́вшийся, hardly started
навёл удáр, aimed his pistol
пустóе сéрдце, his empty heart
издалёка *(coll.)* = издалекá, from a distant country
сóтни беглецо́в, the reference is to the hundreds of French
    aristocratic émigrés who came to Russia after the French
    Revolution of 1789-1794 and later, during the reign of Napo-
    leon I
как тот певéц, the reference is to Lensky, a character in
    Pushkin's *Eugene Onegin*, killed in a duel by Onegin
нéга *(obs.)*, pleasure
И прéжний сняв венóк — они́ венéц тернóвый,

172

Уви́тый ла́врами, наде́ли на него́, the reference is to the fact that Nicholas I, said to have a weakness for Pushkin's wife and eager to see her at Court, gave Pushkin the title of *Kamerjunker* (gentleman of the Emperor's bedchamber), ostensibly honorable, but actually degrading to Pushkin, as it was usually given to young people (Pushkin was 34 at the time). Hence, вене́ц терно́вый, crown of thorns.

чело́ *(obs., poet.)*, forehead
прию́т, *here:* the allusion is to the grave
попра́вшие, *from* попра́ть *(elev.)*, to trample, tread under foot
та́итесь, *here:* you hide
сень, *here:* protection
напе́рсники *(obs.)*, *here:* favourites
зла́то *(obs.)* = зо́лото, gold
наперёд *(coll.)*, beforehand
прибе́гнете, you'll resort to


### Узник        The Captive

у́зник *(obs.)*, prisoner, captive
отвори́те, open
темни́ца *(obs.)*, prison, gaol
млада́я *(obs.)* = молода́я, young
черноо́кая *(poet.)*, dark-eyed (girl)
те́рем *(poet.)*, tower; house
до́брый конь *(folk.)*, fine horse
по во́ле *(folk.)*, (prances) freely
отра́да *(elev.)*, joy
лампа́да, *here:* lamp
безотве́тный, *here:* one who does not answer questions or words addressed to him


### Когда́ волну́ется желте́ющая ни́ва...
### "When Comes a Gentle Breeze..."

ни́ва, (corn-)field
студёный *(coll.)*, very cold
ключ, *here:* spring
са́га, saga; *here:* story
смиря́ется, *here:* subsides
расхо́дятся, *here:* relax, are smoothed away
чело́ *(obs., poet.)*, forehead
пости́гнуть, *here:* to feel


### Ду́ма        Meditation

гряду́щее, the future
бре́мя *(bookish)*, burden
Бога́ты мы... оши́бками отцо́в, ...We are rich in our fathers' faults
по́здний ум, belated wisdom
жизнь... нас томи́т, we are weary of life
по́прище, career
вла́стию *(obs.)* = вла́стью, *here:* (before) the powers that be
до вре́мени, prematurely


173

пришлёц (*obs.*) = пришёлец, stranger, newcomer
осиротéлый, *here:* lonely
тая, concealing
тем, *here:* thereby
бóйся = боясь, being afraid of
пресыщéние, satiety
ребя́ческий, childish, naive
векáм, to the future generations
промотáвшийся отéц, the father who has squandered his money
    and estate

## Поэ́т        The Poet

кинжáл, dagger
булáт (*obs.*), damask steel (of the blade)
брáнный, *here obs.:* warlike
кольчýга (*hist.*), chainmail
Тéрек, the Terek, a river in the Northern Caucasus
хлáдный (*obs.*) = холóдный, cold
забрóшенный, forsaken
ножóн, *from* нóжны, scabbard
злáто (*obs.*) = зóлото, gold
мéрный, measured
фимиáм, incense
вечевóй, *from* вéче (*hist.*), popular assembly in ancient Russia
тéшат, *from* тéшить (*coll.*), to amuse
вéтхая, ancient

## Три пáльмы        Three Palms

аравúйская земля́, the Arabian land
кýша (*obs.*), *here:* foliage
роптáть, to grumble
на тó ль (*coll.*), was it for this...?
вихрь, strong wind, whirlwind
палúмы, scorched
вьюк, pack (carried by a camel, horse, etc.)
óчи (*obs.*), eyes
стан, *here:* body
лукá, pommel
горячúть, to spur on
конь на дыбы́ подымáлся, the horse reared
порóй, sometimes
барс, ounce, snow leopard
поражённый, *here:* hit (by)
по плéчам=по плечáм, about his shoulders
фарúс (*Arabic*), knight, horseman
неся́сь, *from* нестúсь, to dash
стан, *here:* camp
сóрвали=сорвáли, tore off
урóчный (*obs.*), predetermined
гремýчий ключ, *here:* noisy spring
занóсит, buries, covers up with sand
нелюдúм, recluse

## Каза́чья колыбе́льная пе́сня
## The Cossack Lullaby

каза́чья, *adj. from* каза́к (*hist.*), Cossack
ба́юшки-баю́, lullaby
ме́сяц, new moon
ска́зывать (*pop.*), to tell (tales)
закры́вши (*pop.*), (your eyes) closed
чече́н (*pop.*) = чече́нец, Chechen, a member of a Caucasian nationality
кинжа́л, dagger
бра́нное житьё (*obs.*), the life of a warrior; бра́нное, *from* брань
   (*obs.*), war, battle
стре́мя, stirrup
седе́льце, *dim. of* седло́, saddle
богаты́рь, strong man
с ви́ду, you'll look like (a strong man)
душо́й, in your soul
махнёшь руко́й, you'll wave good-bye to me
укра́дкой, in secret, furtively
ста́ну (томи́ться), I shall (languish)
безуте́шно, inconsolably
образо́к, *dim. of* о́браз (*coll.*), icon

## Ро́дина       My Native Land

поко́й, *here:* peace
тёмная, *here:* dark, ancient
преда́нья, *here:* legends
шевели́ть, *here:* to stir
отра́дное, *here:* pleasurable
безбре́жная, boundless
колыха́нье, swaying (of the tops of trees)
просёлочный путь, cart-track
жни́ва, жнивьё, stubble
ни́ва, cornfield
чета́, a couple of
гумно́, barn
ста́вни, shutters

## Сон       The Dream

Дагеста́н, Daghestan, a mountainous region in the Northern Caucasus; now an autonomous republic within the Russian Federation
точи́лася=точи́лась, was oozing
жёны, *here obs.:* women
уве́нчанные, crowned (by wreaths of flowers)
млада́я (*obs.*) = молода́я, young
сни́лась, *here:* she saw in her mind's eye

## Нет, не тебя́...       "No, Not on You My Passion's Bent..."

поро́й, sometimes
вника́я, penetrating
уста́ (*obs., poet.*), lips
о́чи (*obs., poet.*), eyes

кремни́стый, flinty
вне́млет (obs.), listens
ничу́ть, not at all
забы́ться, to become unconscious
вздыма́лась, rose (of breast)
леле́я, from леле́ять, to be pleasing to

## Морска́я царе́вна      The Sea Princess

уша́ми прядёт, (the horse) moves its ears (in alarm)
да́ле (obs.) = да́льше, farther
шелко́вая (folk.) = шёлковая, silken
млада́я (obs.) = молода́я, young
вплела́ся (obs.) = вплела́сь, wove itself into...
о́чи (obs., poet.), eyes
мы́слит, thinks
Добро́ же! посто́й! All right, now! Just you wait!
за́ косу (pop.) = за ко́су, by the plaits
мо́лит, begs
бьётся, here: thrashes, trying to break loose
лихи́е, stouthearted
а́ли (obs.) = и́ли, or
чу́до, here: monster
свива́ясь, from свива́ться, to coil
чело́ (obs., poet.), forehead
уста́ (obs., poet.), lips

## Пе́сня про царя́ Ива́на Васи́льевича, молодо́го опри́чника и удало́го купца́ Кала́шникова
### The Lay of Tsar Ivan Vassilyevich, His Young Oprichnik and the Stouthearted Merchant Kalashnikov

пе́сня, song, or ballad as genre of Russian literature; here, a pastiche from ancient Russian ballad
царь Ива́н Васи́льевич, the reference is to the Russian Tsar Ivan IV the Terrible (r. 1533-1584)
опри́чник (hist.), member of a special force (1565-1572) set up by Ivan the Terrible to combat the major feudals who undermined his power
удало́й, daring, stouthearted
купе́ц (hist.), merchant
ой ты гой еси́ (folk.), a traditional opening formula in a song or ballad (lit. oh thou art...)
сложи́ли, here: composed
твово́ (pop.) = твоего́, your
да (pop.), and
на стари́нный лад, in the ancient manner
пева́ли, we used to sing it
гусля́рный, adj. from гу́сли, psaltery
причи́тывали да приска́зывали, sang in a sing-song (of the manner of performance of such songs)

те́шился (*pop.*), enjoyed it
боя́рин (*hist.*), boyar; major landlord in ancient Russia
ча́рка, small wine-glass
мёд пе́нный, frothy mead

## I

Не сия́ет на́ небе со́лнце кра́сное,
Не любу́ются им ту́чки си́ние, a folklore device of negative parallel-
  ism
тра́пеза (*obs.*), meal
во злато́м (*obs.*) = в золото́м, (wearing) a gold (crown)
сто́льник (*hist.*), Russian courtier, inferior in rank to boyar, who
  served the tsar at table
супроти́в (*obs.*) = напро́тив, opposite
всё (*pop.*), mostly; entirely
да (*pop.*) and
замо́рское, foreign
нацеди́ть, to pour
поднесть, to treat smb. to
мо́лодец (*folk.*) = молоде́ц, young brave man
опусти́л в зе́млю о́чи, he was looking down
голо́вушка (*pop.*), *affect. of* голова́, head
на широ́ку (*pop.*) = на широ́кую, on (his) broad (chest)
полче́тверти, half a *chetvert'*, i.e., approx. 0.09 m; че́тверть (*hist.*),
  Russian measure of length equal to one fourth of an *arshin*
  (*hist.*; approx. 0.71m)
промо́лвил, uttered (a word)
очну́лся, came to his senses
гей ты (*folk.*), hey! (*used to call attention*)
аль, а́ли (*pop.*) = и́ли, or
ду́ма нечести́вая, impious wish or thought
прискучи́ла (*pop.*), are you tired of...?
стремгла́в, headlong
гнуша́тися=гнуша́ться, to disdain
Скура́товы: Скура́тов-Бе́льский (Малю́та) (?-1573), favourite of
  Ivan IV, head of the *oprichniki* terror force
в по́яс кла́няясь, bowing low (hand touching ground)
не кори́, do not scold, do not reproach
запо́тчевать (*obs.*), to regale smb. with food and drink
прогне́вать (*obs.*), to (cause) anger
сыра́я земля́, *lit.* damp earth; a stock epithet of земля́ in Russian
  folklore
об чём (*pop.*), what... about?
кручи́ниться (*pop.*), to grieve
парчево́й, *adj. from* парча́, brocade
кафта́н (*hist.*), caftan; an ankle-length men's outer garment with
  long sleeves and waist-girdle
казна́, *here:* your purse
зазу́брилась, became notched
ху́до, *here:* badly
кула́чный бой (*hist.*), fist fight (as a kind of sports in ancient
  Russia)
покача́в голово́й, shaking his head (to indicate "No")
аргама́к (*hist.*), argamak (Central Asian breed of race-horses)
во́страя (*pop.*), sharp
твое́й ми́лостью (*obs.*), through your grace; through your gener-
  osity

покататися (*obs.*) = покататься, for a ride
кушачо́к, *dim. of* кушáк, sash, girdle
подтянýся (*pop.*) = подтянýсь, I shall tie (a sash) round my
   waist
заломлю́ набочóк (*pop.*), I shall set my cap askew
оторóченную, edged (with)
у ворóт у тесóвыих (*folk.*) = у тесóвых ворóт, at the gates made
   of boards
крáсны дéвушки (*folk.*), beautiful maidens
молодýшки (*folk.*), young women
фатá, veil
не сыскáть (*pop.*), you can't find ...
бýдто, just like ...
мóлвит, when she utters (a word) ...
извивáться, to coil
целýются, *here:* they touch
во семьé = в семьé, into a ... family
купéческая, *adj. from* купéц (*hist.*), merchant
прозывáется (*obs.*), her name is
сам не свóй (*coll., phras.*), I am not myself
мáяться (*pop.*), to languish
опосты́ли, I am sick and tired of ...
удальствó, daring, boldness
наря́д, *here:* (festive) attire
на житьé на вóльное, на казáцкое (*folk.*), (let me) live freely, as
   a Cossack
уж сложý... голóвушку (*folk.*), I'll lay down my life (*lit.* head)
бýйный, *here:* unruly, hot
бусурмáнский (*obs.*), *adj. from* бусурмáн (басурмáн), infidel (esp.
   Mohammedan)
по себé (*obs.*), among themselves
злы (*obs.*) = злы́е, evil
татáровья (*obs.*) = татáры, Tatars
брáное (*obs.; usu.* брáнное), battle (saddle)
черкáсское, *adj. from* черкéс, Circassian, a member of a Caucasian
   nationality
си́рые (*obs.*), poor
горемы́чный, *adj. from* горемы́ка (*obs.*), poor devil, hapless creature
пособи́ть (*obs.*), to help
постарáюся (*obs.*) = постарáюсь, I'll do my best
смышлёная, clever
поклáняйся, *here obs.:* beg a favour of
как полю́бишься (*obs.*), if she likes you ...
óй ты гой еси́, *see Notes, p. 176*
не повéдал (*obs.*), I didn't tell you
перевéнчана (*obs.*), i.e., is married
стрóйте (*obs.*), tune up (your psalteries)
потéшьте (*obs.*), amuse

## II

прилáвка (*obs.*) = прилáвок, (merchant's) counter
стáтный, imposing, stately
прозвáние (*obs.*), name
шелкóвые (*folk.*) = шёлковые, silk
рéчью... замáнивает, *here:* calls to
злáто (*obs.*) = зóлото, gold
серéбро (*obs.*) = серебрó, silver

ба́ре (*obs.*), *here:* rich people
ла́вочка (*obs.*), small shop
отзвони́ли вече́рню, the bells have stopped ringing for vespers
во церква́х (*obs.*) = в церквя́х, in churches
мете́лица (*poet.*), snowstorm
распева́ючи (*folk.*), singing (*here:* of the wind driving snow)
гости́ный двор (*hist.*), arcade, covered market
молода́ (*obs.*) = молода́я, young
те́плится (*obs.*), burns weakly; glimmers
кли́чет (*obs.*), calls
куда́ дева́лась (*pop.*), where has she got to?
затаи́лася (*pop.*), where is she hiding?
чай (*pop.*), I guess
забе́гались, заигра́лися (*pop.*), they've got tired, running and
    playing
спозара́нку (*pop.*), very early
уложи́лися (*pop.*), went to bed
ди́во ди́вное, a great wonder (repetition characteristic of folklore)
по сю пору́ (*pop.*), still
почива́ть (*pop., obs.*) не легли́, they haven't gone to bed
пла́чем пла́чут, they are crying loudly (repetition characteristic of
    folklore and used for emphasis)
всё не унима́ются, they just can't stop (crying)
темнёхонько (*folk.*), very dark
вали́т, *here:* the snow falls in thick flakes
се́ни, in an old peasant house, the space between the porch and
    the living room
си́ла кре́стная! an exclamation of fright and surprise; Good God!
простоволо́сая, her head uncovered (*a sign of dishonour*)
шата́лася (*pop.*), gad about
подво́рье (*obs.*), inn
оде́жа (*obs.*) = оде́жда, dress
воспла́калась (*folk.*), burst into tears
в но́ги... повали́лася (*obs.*), dropped down on her knees
госуда́рь... кра́сно со́лнышко (*folk.*), *here:* as term of address to
    one's husband
бою́ся (*pop.*), I fear
молва́, *here:* rumour
неми́лость, anger
но́нече (*pop.*) = сего́дня, today
одинёшенька (*folk.*) = одна́, alone
послы́шалось мне, I heard
огляну́лася (*pop.*), I looked back
но́женьки (*folk.*), *dim. of* но́ги, legs
шелко́вой (*obs.*) = шёлковый, silk
что пужа́ешься (*obs.*) = пуга́ешься, why are you afraid...?
кра́сная краса́вица, fair beauty (repetition characteristic of folklore)
душегу́б (*obs.*), murderer
прозыва́юся (*obs.*), my name is ...
из... из..., I come of ... family (repetition characteristic of folklore)
пу́ще (*pop.*), more
чего́ тебе́ на́добно (*folk.*), what do you want
а́ли, аль (*obs.*) = и́ли, or
ста́нут все тебе́ зави́довать, everybody will envy you
гре́шною, sinful
окая́нные (*pop.*), damned, cursed
кали́тка, gate, door

сосе́душка, *dim. of* сосе́дка, neighbour (woman)
сме́ючись (*obs.*) = смея́сь, laughing
на на́с па́льцем пока́зывали, pointed their fingers at us
стремгла́в, headlong
бежа́ть бро́силась, ran away
фата́, veil, kerchief
буха́рская, brought from the city of Bokhara in Central Asia;
   hence, very expensive
оху́льник (*obs.*), one who dishonours a woman
поруга́ние (*obs.*), dishonour
на бе́лом све́те (*folk.*), in the whole wide world
ве́даешь (*obs.*), you know
сторо́нушка (*folk.*), *dim. of* сторона́, *here:* land, country
пропа́л бе́з вести (*phras.*), disappeared without trace
меньшо́й (*obs.*), younger
горю́чьми слеза́ми залива́лася (*folk.*), she shed bitter tears
поклони́лися, they bowed to him
тако́е сло́во ему́ мо́лвили they said to him these words
пове́дай (*obs.*), tell us
во тёмную ночь (*folk.*), so late at night (*lit.* on a dark night)
лиха́ беда́ (*folk.*), great grief
что... со мно́ю приключи́лася (*obs.*), which has befallen me
не сробе́йте (*pop.*), have courage
аво́сь (*pop.*), I hope
побо́ище (*obs.*), battle
убира́ть, *here:* to peck
не вы́дадим (*obs.*), we shall not let you down
стро́йте, *here:* tune up (your psalteries)

## III

златогла́вая, golden-headed; the reference is to the great number of
   golden-domed churches
по тесо́вым кро́велькам игра́ючи, playing on the roofs made
   of boards; кро́вельки (*folk.*), *dim. of* кро́вли, roofs
разгоня́ючи (*folk.*), driving away (the clouds)
подыма́ется (*pop.*), rises
размета́ла ку́дри золоти́стые, the golden locks are flying
со дружи́ною, со боя́рами (*obs.*) = с дружи́ною, с боя́рами,
   with his bodyguard and the *boyars*
саже́нь, an old Russian measure of length equal to 2.13 m
охо́тницкий (*obs.*), voluntary
клич кли́кать (*folk. repetition*), to issue a call
обеща́юсь (*pop.*), I promise
для (*pop.*), for the sake of
с покая́нием, repentant of
раздала́сь, *here:* moved apart
супроти́в (*obs.*), opposite
могу́тные (*obs.*), = могу́чие, powerful, mighty
распря́мливает (*obs.*) = распрямля́ет, straightens
кудря́ву (*obs.*) = кудря́вую, curly
панихи́да, requiem
пиру́ючи (*obs.*) = пиру́я, feasting
бусурма́нский сын, here, as a term of abuse; also a hint at the
   Skuratovs' foreign origin
бо́йки (*obs.*) = бо́йкие, pert, forward
и уда́рил вперво́й (*pop.*), he was the first to strike
посере́дь (*obs.*) = посреди́, in the middle of (his breast)

мо́щи, relic

во сыро́м бору́ (*folk.*), lit. in a damp forest (сыро́й is a conventional epithet of бор 'forest' in Russian folklore)

под смоли́стый под ко́рень (*folk. repetition*) = под смоли́стый ко́рень, (cut down) at the resinous roots

приве́сть (*obs.*) = привести́, to bring

пред лицо́ (*obs.*), before his face

возговори́л (*obs.*) = заговори́л, began to speak, said

во́льной во́лею (*obs.*), intentionally

не́хотя, unwittingly, without intention

мово́ (*pop.*) = моего́, my

пла́ха (*hist.*), executioner's block

пови́нная, guilty

дети́нушка (*folk.*), *dim.* of дети́на (*obs.*), brave, strong young man

ме́сто ло́бное (*hist.*), place of execution

сложи́... голо́вушку, lay down your head

навостри́ть (*obs.*), to sharpen

дру́ги (*obs.*) = друзья́, friends

поцелу́емтесь да обни́мемтесь (*obs.*) = поцелу́емся и обни́мемся, let us kiss and embrace each other (*Russian custom at meeting and parting*)

закажи́те, tell her

про меня́, about me, about my death

дету́шки (*folk.*), *dim.* of де́ти, children

ска́зывать (*obs.*), to tell

бесталанная (*obs.*), here: unfortunate, poor

схорони́ли, (they) buried him

чи́стое по́ле (*folk.*), lit. clear field (чи́стое is a conventional epithet of по́ле in Russian folklore)

проме́ж (*obs.*), at the intersection of

приоса́нится, he will assume a proud, dignified air

пригорю́нится, she will feel sad

кра́сно (*obs.*), well, fine

торова́тый (*obs.*), generous

## Мцы́ри      Mtsyri

вкуша́я, *from* вкуша́ть (*obs.*), to partake of

вкуси́х (*Church Slavonic*), I tasted, I ate; вкуси́х... мёда (*fig.*), the reference is to earthly joys

се (*Church Slavonic*), and lo

аз (*Church Slavonic*), I

1

слива́яся (*obs.*) = слива́ясь, merging

обня́вшись, *from* обня́ться, to embrace

струй (*poet.*) = стру́и, streams

Ара́гва, Кура́, rivers in the Caucasus

обру́шенные (воро́та), fallen (gates)

свод, here: dome

не кури́тся, here: does not rise

кади́льницы, censers

благово́нный, fragrant

и́нок (*obs.*), monk

разва́лин страж полуживо́й (*inversion*) = полуживо́й страж

развáлин, half dead guardian of the ruins; страж (*obs.*) = стóрож, watchman, guard

смéртию (*obs.*) = смéртью, (forgotten by) death

котóрых нáдпись говорúт (*inversion*) = нáдпись на котóрых говорúт, on which the inscription says

удручён, tired of (wearing the crown)

венéц, *here:* the crown as a symbol of royal power

такóй-то (*coll.*), such and such (a Tsar)

в такóй-то год (*coll.*), on such and such a date

вручáл Россúи свой нарóд, the reference is to the fact that in 1801-10 Georgia voluntarily entered the Russian Empire

благодáть (*eccl.*), grace of God; also (*coll.*) 'plenty'

не опасáяся (*obs.*) = не опасáясь, without fear of

за грáнью дрýжеских штыкóв, behind a line of friendly bayonets (of the Russian army protecting Georgia against its enemies)

2

Тифлúс, before 1936, the name of Tbilisi, the capital of Georgia

ребёнка плéнного он вёз (*inversion*) = он вёз плéнного ребёнка, he was carrying with him a captive child

занемóг (*obs.*), fell ill

трудú *here:* the difficulties

лет шестú (*coll.*), some six years of age

сéрна гор, the chamois of the mountains

тростнúк, reed

недýг, illness

дух егó отцóв, the spirit of his fathers

томúлся, *here:* languished

знáком, *here:* with a gesture

прúзрел (*obs.*), gave shelter and board

в стенáх хранúтельных (*poet.*), *here:* within the walls of the monastery

искýсство, the skill (of healing)

утéхи (*obs.*), *here:* (childish) play

бéгал... от всéх, avoided everybody

безмóлвен, tacit

по сторонé своéй роднóй (pined) for his native land

пóсле, later; afterwards

чужóй язúк, alien tongue (*here:* Georgian)

был окрещён, he was baptised

святóй отéц, holy father; the priest

свет, *here:* secular life

во цвéте лет, in the prime of youth

изрéчь монáшеский обéт, to take monastic vows; изрéчь (*obs.*), to utter; обéт (*obs.*), vow, promise

тянýлся, *here:* stretched along

пóиски по нём (*obs.*), the search for him

обúтель i. e., the monastery

стрáшно (*coll.*), very (pale)

труд, *here obs.:* travail; suffering

испытáл, experienced, went through

допрóс, *here obs.:* questioning

примéтно, noticeably

вял, grew weaker; withered away

конéц, death

чернéц, monk

увещевáние (*obs.*), admonition
мольбá, plea
привстáл, half-rose

## 3

úсповедь, confession
всё лýчше, it's still better
словáми облегчúть мне грудь, to unburden myself by talking,
  to relieve my mind
А дýшу мóжно ль рассказáть? Who can express one's soul?
кéлья, monk's cell
чýдный, wonderful
бúтва, battle
скалы́=скáлы, rocks
пред=пéред, before

## 4

угрю́м, gloomy
сýмрачный, dark, gloomy
дитя́, child
пусты́е, *here:* useless (tears)

## 5

разгýльный (*from* разгýлье, *pop.*), merry; easy-going (not to be
  confused with разгул 'wild outburst of')
угловáя бáшня, corner tower
порóй, sometimes
сквáжина, *here:* niche
постыл, is hateful (to you)
что за нуждá?, *usu.* нет нужды́ (*phras., coll.*) what matter! (not
  to be confused with нуждá 'extreme poverty')

## 6

вóля, freedom
дерéв (*obs.*)=дерéвьев, of trees
кругóм, around
грýды, heaps, piles, a mass of
потóк, stream
простёрты... объя́тья, their arms reach out (to each other)
жáждут, (they) thirst for...
им не сойтúться (*obs.*)=не сойтúсь, they will never meet
высь, *here:* summit
óблачко за облачкóм (=за óблачком), cloud after cloud
направля́ло бег, moved swiftly
каравáн, caravan; flight of birds
залётные, migratory (birds)
горя́щий, *here:* glittering
незы́блемый, unshakable, immovable
нéкогда, a long time ago

## 7

ущéлье, gorge
рассы́панный, *here:* scattered
аýл, mountain village
мне слы́шался, I seemed to hear
табýн, herd (of horses)

смуглый, swarthy, bronze-faced
оправленный, inlaid
ножны, scabbard
чередой, in a series of
кольчуга (hist.), chainmail
над колыбелию (obs.)=над колыбелью, over (my) cradle
взором ласточек следил, I followed the flight of swallows with
  my eyes
очаг, hearth; here: an evening before the fireplace

8

блаженный, here: happy
давным-давно (coll.), a long time ago
этот свет (coll.), (we come) into this world (cf. тот свет 'the next
  world')
ниц, (lay) prostrate
глазами тучи я следил, I followed the course of clouds with my eyes
взамен, instead of

9

погоня, chase
зубцы, jagged peaks
недвижим=недвижим, motionless
порой, from time to time
шакал, jackal
чешуя (змей), scales

10

глубоко=глубоко, deep down
сердитых сотне голосов (inversion) = сотне сердитых голосов, a hundred angry voices
подобился, was like
мне внятен, I could understand
немолчный ропот, ceaseless grumbling
груда, heap, pile
озолотился, became golden (of the sky at sunrise)
листы=листья, leaves
дохнули, here: woke up
не таю, I shan't conceal it from you
бездна, abyss
вал, torrent
низверженный, thrown down, cast down

11

радужный, from радуга, rainbow
меж дерёв=между деревьями, between the trees
грозды (obs.), грозди, bunches (of grapes)
серёг подобье дорогих (inversion)=подобие дорогих серёг, like
  precious earrings
рой, here: flock
припал, I lay down on the ground
вслушиваться стал к... голосам (usu. вслушиваться в голоса),
  I listened attentively to the ... voices
по кустам, in the bushes
речь ... вели, talked about

184

сливались, merged
не раздался=не раздался, could not be heard
глас (obs.)=голос, voice
прилёжный, attentive
жаждой ... томиться, to thirst, to be thirsty

## 12

на плиту=на плиту, (from slab) to slab
бразда (obs.)=борозда, furrow
дымилась, here: smoked; a reference to the dust raised by a falling
    stone
прах, here: dust
вился (=вился) столбом here: rose in a cloud
припал к волне, I began to drink greedily
трепет, excitement
боязливый, fearful
ближе всё (inversion)=всё ближе, (came) nearer and nearer
безыскусственно, artlessly
приучён, here: was accustomed to ...
в мысль... залегла, it was engraved on my mind

## 13

скользила, slipped
смеясь неловкости, laughing at her own awkwardness
наряд, here: clothes
чадра, yashmak, the double veil worn by Moslem women in public
летние жары (obs.)=летняя жара, summer heat
уста (obs., poet.), lips
очи (obs., poet.), eyes
сакля, the Russian name for a Caucasian mountain hut
чета, couple
кровля (obs.), roof
струиться, to curl up, to rise
отперлась, opened
затворилася, closed

## 14

трудами ночи изнурён, tired by the labours of the night
отрадный, pleasant
сомкнул глаза ... мне, closed my eyes
странная, strange, unfamiliar
заныла, from заныть (coll.), to begin to ache
силился (coll.), did my best; attempted
пробудился, I woke up
уж, already
кралася = кралась, creeped
мир тёмен был и молчалив (inversion) = мир был тёмен и молчалив,
    the world was dark and silent
бахрома, fringe
трепетал, here: glimmered
взойти (obs.) = войти, to enter
не смел, did not dare
превозмог, I overcame
немой, here: mute, silent
из виду горы потерял, I lost sight of the mountains
с пути сбиваться стал, began to lose my way

отча́янной руко́й, desperately
терно́вник, thorn bushes
плющ, ivy
всё лес был, it was all forest
гу́ще, *comp. of* густо́й, dense
моя́ кружи́лась голова́ (*inversion*) = моя́ голова́ кружи́лась,
  I felt dizzy
на дерева́ (*obs.*) = на дере́вья, up trees
в исступле́нии, in a frenzy
горю́чая (роса́), *usu.* горю́чие слёзы, bitter tears

## 16

слезы́ не зна́л я (*inversion*) = я не зна́л слезы́, I never knew
  tears; I never cried
ме́сяц, new moon
непроница́емая стена́, impenetrable wall
по ней, *here:* over it
ча́ща thicket
на́взничь, on its back
барс, ounce
мота́я (*from* мота́ть), swishing (its tail)
шерсть отлива́лась серебро́м, its coat glistened like silver
сук, stick

## 17

почу́ял, sensed
встал на дыбы́, rose on its hind legs
предупреди́л, *here:* anticipated

## 18

по́лог лесо́в, canopy of leaves in the forest
изнемога́ть, to lose strength
недви́жные (глаза́), unmoving (dead) eyes

## 19

не заросли́, they are still open (*of wounds*)
заживи́ть, to cure, to heal (*here used ironically*)
побрёл, wandered
тще́тно (*bookish*), in vain

## 20

хорово́д свети́л напу́тственных, the round dance of my fellow
  travellers, the stars
ау́л кури́ться на́чал, wisps of smoke rose over the mountain village
дубра́ва, oak grove
блаже́нство, bliss
уне́сть = унести́, to take with one (to the grave)
позо́р, shame
следа́ не проложи́ть уж никогда́, I shall never find the way to
  my native land

## 21

жре́бий, *here:* lot
седо́к, horseman

тюрьма́, prison; *here:* life at the monastery
темни́чный, *from* темни́ца, gaol
живи́тельный, life-giving
бытие́, life

## 22

глава́ (*obs.*) = голова́, head
вене́ц терно́вый, crown of thorns
чело́ (*obs.*), forehead
свива́лся, *here:* coiled (withering)
в оцепене́нии, in complete torpitude
коросте́ль, landrail
трель, trill, cry
бурья́н (tall) weeds
злата́я (*obs.*) = золота́я, golden
бразди́ (*obs.*) = борозди́, furrowing
бе́режно, *here:* cautiously
не́жася, basking
свива́лася, coiled


## 23

пары́, *here:* haze
подо́швы... острово́в, the foothills of islands (the reference is to
    mountains encircled by rivers)
с быстрото́й, fast; rapidly
влива́лася = влива́лась, poured into
мне бы́ло лю́бо (*pop.*), I felt so fine
тесни́лася, rolled (one after another)
надиви́ться я не мог..., there was no end to my amazement
сребри́стый (*poet.*) = серебри́стый, silver
приво́льное житьё (*pop.*), life is free and easy
под го́вор, to the sound of
не утаю́, I shall be frank with you
ро́пот, *here:* murmur


## 24

найдён = на́йден, (I was thus) found
немо́й, mute
тёмное (и́мя), *here:* unknown to anyone


## 25

оте́ц, Father (as term of address to a priest)
тая́ся = тая́сь, concealed
тюрьма́, gaol; *here:* my body
пуска́й (*coll.*), even if


## 26

перене́сть = перенести́, to carry over, to take to
вели́, *from* веле́ть, to order
ака́ций бе́лых два куста́ (*inversion*) = два куста́ бе́лых ака́ций,
    two bushes of white acacia
сия́ньем голубо́го дня упью́ся (*inversion*) = упью́сь сия́ньем голу-
    бо́го дня, I'll enjoy the splendour of a blue day
близ, near
внима́тельной руко́й, with a careful hand

кончи́на, death
хла́дный (obs.) = холо́дный, cold
вполго́лоса, softly, quietly

## Де́мон        The Demon

### Часть I

#### I

изгна́нье, *here:* banishment from paradise
пред (obs.) == пе́ред, before
тесни́лися (obs.) = тесни́лись, crowded, thronged
херуви́м (eccl.), cherub
позна́нья жа́дный (obs.), aspiring towards knowledge
кочу́ющие, *from* кочева́ть, to roam, to wander
карава́ны, *here:* clusters (of stars)
свети́ла, stars, luminaries

#### II

блужда́л, *here:* wandered
восле́д (obs.) = вслед, after
череда́, *here:* succession

#### III

Казбе́к, one of the highest mountains in the Central Caucasus
змей (obs.), serpent
вился́ = ви́лся, turned and twisted
излу́чистый, sinuous
Дарья́л, the Daryal gorge (that of the river Terek in the Northern
    Caucasus)
лазу́рная, azure, sky-blue
глаго́л (obs., poet.), speech, voice
внима́ли (obs.), listened attentively
следя́... во́лны (obs.), matching the waves
на скала́х (obs.) = на ска́лах, on the cliffs
у вра́т (obs.) = у воро́т, at the gates
на часа́х (obs.), standing guard
сторожевы́е (obs.), sentinel
дик, savage, wild
чу́ден, amazing, marvellous
о́ко (obs., poet.), eye
чело́ (obs., poet.), forehead

#### IV

красы́ (obs.) = красо́ты, *here:* (pictures of) beautiful scenery
ра́йны (obs.), poplars
из ка́мней (obs.) = из камней, of stones
ку́щи, *here:* thick growth
пою́т краса́виц (obs.), (they) sing the praises of fair maidens
безотве́тных на... го́лос, indifferent to the voice of
чина́ра, plane-tree
разве́систые, spreading
се́ни, *here:* foliage
венча́нный, *here:* crowned

188

паля́щим днём, during the hottest part of the day
та́ятся, hide
листо́в (*obs.*) = ли́стьев, of leaves
стозву́чный, hundred-voiced
увла́женный = увлажнённый (росо́ю), covered (with dew)

## V

скат, *here:* slope (of a hill)
Ара́гви, the Aragvi, left tributary of the Kura

## VI

зурна́, a Caucasian type of pipe
волы́нка, bagpipes
ви́ны (*obs.*) = ви́на, wines
со́звал = созва́л, called together
кро́вля (*obs.*), roof
у́стланная, covered with
меж (*obs.*) = ме́жду, among
ме́рно, in time to...
бу́бен, tambourine
вла́га, *here:* river waves
зы́бкая (вла́га), unsteady, rippling
злата́я (*obs.*) = золота́я, golden
стан, *here:* figure
чело́ (*obs., poet.*), forehead

## VIII

зау́тра (*obs.*), tomorrow morning
свобо́ду ре́звую дитя́ (*inversion*) = ре́звую дитя́ свобо́ды, the frisky
    child of freedom
судьба́ печа́льная рабы́ни (*inversion*) = печа́льная судьба́ рабы́ни,
    the sad lot of a slave-woman
отчи́зна, one's native land; *here:* the land of her husband
чу́ждая, alien (land)
поны́не, until now

## IX

неизъясни́мое, indescribable
немо́й души́ его́ пусты́ню (*inversion*) = пусты́ню его́ немо́й души́,
    the desert of his mute soul
благода́тный, blissful
кати́лися ((*obs.*) = кати́лись, rolled
незри́мая, unseen
он с но́вой гру́стью стал знако́м, he was now familiar with a new
    sadness
родны́м когда́-то языко́м, in a language that was at one time his
    native tongue
не́ взял бы = не взя́л бы, he would not have taken

## X

до́брый, *here:* fine
ло́вкий, graceful
стан, *here:* waist
насе́чка вырезна́я, inlay, inlaid pattern
галу́н, kind of lace

обложена́, trimmed, adorned
в мы́ле, covered with foam
масть, colour (of horse's coat)
пито́мец... Карабаха, brought up in Karabakh (in Azerbaijan);
    Karabakh horses are graceful and have excellent stamina
пря́дать уша́ми, (of frightened horse) to move its ears
ко́сится, looks askance at
крутизна́, steep slope
мяте́жная lit. rebellious; here: violent, turbulent
румя́нец га́снет, the glow (of the sun) is extinguished, fading
приба́вил ша́гу, moved faster

## XI

часо́вня, chapel
почи́ет в бо́ге (obs.), rests in God
возмуща́л, here: tempted
уста́ (obs., poet.), lips
надви́нув на́ брови (obs.) = на бро́ви, pushing (his fur cap) lower
    (lit. on his eyebrows)
папа́х (obs.) = папа́ха, tall Caucasian hat usually of sheepskin
нага́йка, whip
щёлк, crack! (the sound of a whip)
ки́нулся, here: he rushed forward at the enemy

## XII

не при́дут = не приду́т, will not come
водрузи́тся, will be raised
плющ, ivy
свороти́в (pop.), turning (from the road)

## XIII

лань, гое
брань, here: battle
оса́дит на скаку́, will suddenly stop
широ́ко = широко́, (his nostrils dilated) wide
ра́зом (coll.), simultaneously
без па́мяти, here: in a frenzy
он бьётся, here: he knocks (against)
поро́й, now and then
чепра́к, shabrack, saddle-cloth

## XIV

запалённый, winded
пал, here: fell (and died)
след трево́ги бра́нной, traces of fighting; бра́нная, from брань, bat-
    tle, fighting
пла́тье (obs.), clothes
сдержа́л он... сло́во, he was true to his word

## XV

ка́ра, punishment
кати́тся = ка́тится, rolls
безгла́сный, mute
живо́й росо́й не упадёт, will not fall like life-giving dew

ланиты (*obs.*), cheeks
не оценит = не оценит, will not appreciate
райская сторона, paradise, heaven
жребий, fate, lot
ветрила (*obs., poet.*), sail
хо́ры стро́йные свети́л (*inversion*) = стро́йные хо́ры свети́л, graceful choruses of luminaries
беспе́чна, free from care, cheerful
верхи́ summits
осени́т, will cover
увя́дшей шевельнёт траво́ю (*inversion*) = шевельнёт увя́дшей тра-
во́й, will run through withered grass
порхнёт, will flutter
ме́сяц, new moon
укра́дкой, furtively
денни́ца (*obs.*), daybreak
шелко́вые (*obs.*) = шёлковые, silken
навева́ть, evoke (dreams)

### XVI

восле́д (*obs.*) = вслед, after
смежи́л, closed
возмути́л, disturbed, troubled
пришле́ц, newcomer, stranger
немо́й, mute
изголо́вье, the head (of a bed)

### Часть II

### I

не брани́, don't scold
свяще́нная оби́тель, holy abode, i.e., cloister
святы́ни ми́ром осеня́ (*inversion*) = осеня́ ми́ром святы́ни (мо-
настыря́), casting the peace of the holy place (over me)
су́мрачная, dark
ке́лья, (a nun's) cell

### II

власяни́ца, hair-shirt
узо́рная, patterned (brocade)
парча́, brocade
би́лося = би́лось, beat
ей слы́шалася = слы́шалась, she heard
фимиа́м, incense

### III

таи́лся, lay in seclusion
чина́ры, plane-trees
лампа́да, icon-lamp
млада́я (*obs.*) = молода́я, young
круго́м, around
дере́в (*obs.*) = дере́вьев, of trees
ряд стои́т кресто́в печа́льных (*inversion*) = стои́т ряд печа́льных
кресто́в, where a row of sad crosses stands

по ка́мням = по камня́м, (leaped) over boulders
ключ, spring
студёная, very cold
и́ней цвето́в, *lit.* the hoarfrost of flowers (*of white flowers*)

## IV

кури́тся, rises up (*of smoke*)
муэци́н (*obs.*) = муэдзи́н, muezzin; in Moslem countries, a public
  crier who proclaims the regular hours of prayer
глас (*obs.*) = го́лос, voice
с кувши́ном дли́нным, with a long-necked jug
чалма́, turban (as worn by Moslems)
ри́за, chasuble

## V

предло́г, cause
обоймёт, will embrace
трево́жит пу́тника внима́нье (*inversion*) = трево́жит внима́ние
  пу́тника, alarms the wayfarer

## VI

всегда́шняя (*pop.*), eternal, constant

## VII

хо́лмы (*obs.*) = холмы́, hills
у́мысел, (*obs.*), design
бряца́нье, twanging
кати́тся = ка́тится, rolls

## VIII

спозна́лись (*pop.*), became familiar with
приосени́л, covered (her with his wing)
тя́гостный, stern

## IX

зарде́лся (*obs.*), kindled (with)
ре́вностию (*obs.*) = ре́вностью, with jealousy

## X

бич, scourge
ро́зно (*obs.*), apart
затепли́лся, kindled
зашевели́лася, began to move, to stir
что (*pop.*), what ... for?

Творе́ц..., Oh God...
вене́ц терно́вый, crown of thorns
было́е, the past
в прах, into dust
упое́ние, ecstasy
напеча́тлён (*elev.*), impressed (in smth.)
крыла́ми (*obs.*) = кры́льями, with wings
эде́м, Eden
ладья́ (*obs.*), bark, boat
бог весть (*coll.*), God knows ...
хули́л, censured, blasphemed
за́лил = зали́л, extinguished
бе́здна, abyss
вился́ = ви́лся, spiralled
мне нра́вилися (*obs.*) = нра́вились, I liked
подыма́я (*obs.*) = поднима́я, raising (dust)
мо́льней (*obs.*) = мо́лнией, (clad in) lightning
что...? what (do they mean to me)?
труды́, labours
ла́стится, presses itself against (as in caress)
одне́ (*obs.*) = одни́, alone
отра́да, pleasure
тая́, hiding, concealing
кляни́ся (*obs.*) = кляни́сь, swear
стяжа́ния, *here:* (evil) motives
отре́чься (*obs.*), to reject
обе́т (*obs.*), pledge
уже́ль (*obs.*) = неуже́ли, aren't there...?
со́нмище (*elev.*), assembly
духо́в = ду́хов, of spirits
отрекся́ = отрёкся, renounced
ревни́вой гру́бости рабо́й (*inversion*) = рабо́й ревни́вой гру́бости,
    slave of jealous crudeness
к ино́му ты присуждена́, *here:* you were destined for other things
свет, *here:* the life of men
пучи́на, *lit.* abyss; *here:* infinity
взаме́н (*pop.*), instead (of)
окре́стный, (the air) all around
всеча́сно, always, constantly


## XI

косну́лся... её ... губа́м (*obs.*), touched her lips
лобза́нье (*obs.*), kiss
возмути́л, *here:* disturbed


## XII

уро́чный, *here:* customary, routine
чугу́нная доска́, the iron board of a hand rattle (as used by night
    watchmen)
укроти́л, slowed down
нечести́вое сомне́нье, impious suspicion
наважде́нье, evil delusion

XIII

пери, peri; in Persian mythology, a supernatural being endowed with grace and beauty

XIV

конец, end; demise
упоенье, rapture, ecstasy
злато (*obs.*) = золото, gold; *here:* evening glow

XV

поезд, *here:* procession, cavalcade

XVI

упованье, *here:* hope
хлад (*obs.*) = холод, cold
аул, mountain village
караваны, caravans
латы (*hist.*), armour

## Содержание

## Contents

Михаил Юрьевич Лермонтов

СТИХОТВОРЕНИЯ И ПОЭМЫ

Книга для чтения с параллельными
текстами на русском и английском языках
и комментарием на английском языке

Составитель М. Л. Калугина

Заведующий редакцией Г. Я. Коваленко
Редактор Э. А. Веденяпина
Младший редактор Н. В. Косован
Редактор перевода А. Б. Карпус
Художник И. П. Смирнов
Художественный редактор А. С. Широков
Технические редакторы С. Ю. Спутнова, Н. И. Герасимова
Корректор Г. Н. Кузьмина

ИБ № 5540

Сдано в набор 30.06.87. Подписано в печать 08.06.88. Формат 84x108/32.
Бумага офс. № 1. Гарнитура литературная. Печать офсетная. Усл. печ. л.
10,5. Усл. кр.-отт. 21,21. Уч.-изд. л. 10,27. Тираж 20 000 экз.
Заказ № 1143. Цена 75 коп.

Издательство „Русский язык". 103012 Москва, Старопанский пер., 1/5.

Набрано в ордена Октябрьской Революции и ордена Трудового Крас-
ного Знамени МПО „Первая Образцовая типография" им. А. А. Жда-
нова Союзполиграфпрома при Государственном комитете СССР по
делам издательств, полиграфии и книжной торговли. 113054 Москва,
Валовая, 28.

Отпечатано на Можайском полиграфкомбинате Союзполиграфпрома
при Государственном комитете СССР по делам издательств, полиграфии и книжной торговли. 143200 г. Можайск, ул. Мира, 93.

В издательстве «Русский язык»
в 1988 году
выйдут в свет книги для чтения
с комментарием на английском языке


Ю. Бондарев.   Мгновения
Л. Кассиль.   Дорогие мои мальчишки
М. Лермонтов.   Герой нашего времени
Ю. Манн.   Николай Гоголь. Жизнь и творчество
В. Панова.   Серёжа
В. Панова.   Спутники
Л. Толстой.   Басни. Сказки. Рассказы. Кавказский
пленник
И. Тургенев.   Ася
И. Тургенев.   Муму
Н. Карамзин.   Бедная Лиза
Ю. Семенов.   Семнадцать мгновений весны

**В издательстве «Русский язык»
в 1988 году
выйдут в свет книги для чтения
с комментарием на английском языке,
составленные из рассказов
русских и советских писателей**

**В издательстве «Русский язык»
вышли в свет
книги для чтения
с комментарием на русском языке**

А. С. Пушкин.   Стихотворения. Поэмы
А. С. Пушкин.   Драмы
С. Есенин.   Стихотворения
А. Блок.   Стихотворения. Поэмы
А. Фадеев.   Молодая гвардия
Н. Островский.   Как закалялась сталь
М. Шолохов.   Поднятая целина
Н. Лесков.   Повести
А. Герцен.   Сорока-воровка. Кто виноват?
Советская поэзия 50—70-х гг.
Н. Гоголь.   Повести
Ф. Достоевский.   Преступление и наказание
А. Чехов.   Пьесы
А. Чехов.   Повести